Sophie Cassagnes-Brouquet

La passion du livre au Moyen Age

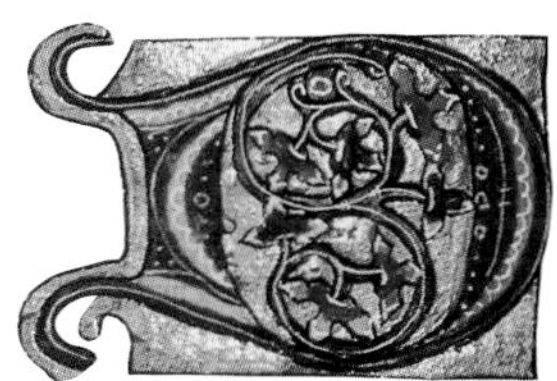

Éditions Ouest-France

Deus in adiutorium meum
intende. Domine ad ad
iuvandum me festina.
Gloria patri et filio et spiri
tui sancto. Sicut erat in principio et nunc
et semper et in secula seculorum. Amen.

SOMMAIRE

La Déposition de Croix.
Petites Heures de Jean de Berry, enluminure de Jean Lenoir, XIVe siècle.
BnF, ms. lat. 18014, f°. 92 v°.

FILII
DI
SCRIP
XPI

INTRODUCTION

Depuis le Moyen Age, l'histoire du livre est indissociable de celle de notre civilisation occidentale. L'écrit apparaît alors comme un élément indispensable pour la transmission de la culture. Même si la civilisation médiévale a souvent été assimilée à une culture du livre, c'est oublier un peu trop vite que la majorité des hommes et des femmes de cette époque ne savent pas lire et n'ont pas les moyens matériels d'accéder à cet objet précieux. Pourtant, le livre n'est pas si rare ni inaccessible, il est omniprésent dans la pratique de la religion. L'avènement du christianisme en Occident a contribué à donner au livre une aura sacrée, cette religion du Livre se plaît à représenter Jésus-Christ une bible à la main.

La passion du Livre est donc bien un trait caractéristique du Moyen Age, un legs que cette période a transmis parmi tant d'autres à notre civilisation occidentale. Les bibliothèques européennes renferment ainsi une grande part de notre patrimoine culturel et artistique, trop souvent méconnu.

C'est cette relation passionnelle que les hommes et les femmes du Moyen Age ont entretenue avec le livre que cet ouvrage souhaite éclairer. Les conditions de la production de cet objet rare et précieux, du parchemin au manuscrit, grâce au travail lent et laborieux des scribes et au talent des enlumineurs en forment le cadre premier. Les lieux de cette création, leur déplacement des monastères aux villes font évoluer le rapport des livres à leurs lecteurs vers de nouvelles formes.

Les lecteurs et leur façon de lire, d'appréhender le livre, son contenu et sa forme, constitueront le deuxième volet de cette approche. Au Moyen Age, il existe toutes sortes de formes de lecture et d'utilisation des livres. De la méditation sacrée du moine sur les Ecritures, au divertissement des princes qui lisent des romans ou des traités de chasse, en passant par l'écolier studieux qui souffre sur un manuel de grammaire latine, les livres et leurs lecteurs entretiennent une grande variété de relations.

Les livres ne sont pas seulement un texte qui prend des formes de plus en plus variées mais aussi un fabuleux répertoire d'images. S'il en a les moyens, le commanditaire d'un manuscrit n'hésite pas à faire appel à un enlumineur pour décorer son livre. L'illustration des textes de dévotion ou des œuvres profanes acquiert une importance toute particulière au Moyen Age. L'image accompagne et nourrit le texte ; elle devient parfois la finalité première pour les bibliophiles passionnés comme le fastueux Jean de Berry. Les plus grands artistes participent au décor des manuscrits, la peinture est dans les livres.

Saint Marc Evangéliste, XIIe siècle.
Archives diocésaines de l'évêché de Sées, ms. 5, f°. 36 v°.

LA PRODUCTION DU LIVRE AU MOYEN AGE

La moniale Baudonivie écrivant.
Fortunat, *Vie de sainte Radegonde,* XIIe siècle.
Médiathèque François-Mitterrand, Poitiers, ms. 250, f°. 43 v°. Photo V.O. Neuillé.

Objet matériel, le livre a beaucoup évolué pour acquérir sa forme définitive au Moyen Age. Cette histoire s'insère entre deux grandes révolutions techniques : la première est l'apparition du codex au premier siècle après Jésus-Christ, la seconde est l'invention de l'imprimerie vers 1460. L'Antiquité n'a pas connu le livre tel qu'on le conçoit de nos jours. Les supports de l'écriture y étaient aussi variés qu'ingénieux. On pouvait écrire sur des planchettes de bois enduites de cire ou sur des tablettes de terre, sur des écorces d'arbres, sur des bandes de tissu de soie en Chine et sur des rouleaux de papyrus en Egypte, en Grèce ou à Rome. Ces supports n'ont d'ailleurs pas totalement disparu au Moyen Age. Ils demeurent utilisés pour l'écriture de documents éphémères comme les « beresty », ces brouillons notés à la pointe d'un stylet sur des écorces de bouleaux par les marchands fréquentant la foire de Novgorod en Russie. Les écoliers de Paris prennent leurs cours sur des tablettes de bois enduites de cire.

Scribe écrivant sur des tablettes enduites de cire.
***Vie et miracles de saint Amand,* XIIe siècle.**
BM de Valenciennes, ms. 501, f°. 1 v°. Photo F. Leclercq.

Feuilles de papyrus.
Coll. Thierry Richard, calligraphe.

Un scribe prend des notes sur un *volumen*.
Vie et miracles de saint Amand, **XIIe siècle.**
BM de Valenciennes, ms. 501, f°. 1 v°.
Photo F. Leclercq.

Les écrits destinés à durer étaient transcrits dans l'Antiquité sur des rouleaux de papyrus ou de parchemin. L'apparition du codex est une véritable révolution dans l'histoire de la culture occidentale. Le premier livre de forme parallélépipédique est mentionné par le poète Martial vers 84-86 après Jésus-Christ. Le codex connaît rapidement un réel succès. Plus pratique que le rouleau, il permet d'écrire sur une table ou un pupitre. Il doit sans doute sa propagation à l'essor du christianisme. Afin de se distinguer des Juifs qui inscrivent la Torah sur des rouleaux, les chrétiens adoptent résolument le codex. Des Bibles sous la forme de codex sont mentionnées dès le IIe siècle.

Du parchemin au manuscrit

Il existe au Moyen Age trois grands supports de l'écriture : le papyrus, le parchemin et le papier. Le papyrus, souvent associé à l'Egypte ancienne, n'en est pas moins toujours utilisé au Moyen Age. Produit en Egypte, et introduit par les Arabes en Sicile au Xe siècle, il demeure longtemps l'un des grands supports de l'écriture dans le monde méditerranéen. Si sa production est un monopole d'Etat dès la conquête de l'Egypte par les Arabes en 639, le papyrus est cependant vendu en Occident. Il y est utilisé par la chancellerie pontificale. Le papyrus médiéval, conservé en Occident, est une lettre adressée en 788 par le pape

Saint Augustin présente un codex.
Evangéliaire alsacien, XIIe siècle.
BM de Laon, ms. 550.

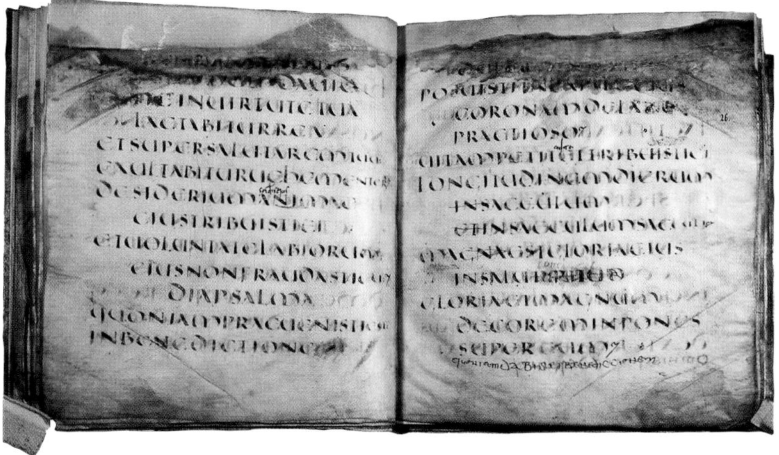

L'un des plus anciens codex conservés dans une bibliothèque française.
Psautier (fin V^e-début VIe siècle). BM de Lyon, ms. 425, f°. 39 v° 40. Photo BM de Lyon, Didier Nicole.

Hadrien Ier à Charlemagne, le dernier est un acte du pape Léon XI en 1051. A cette époque, il est définitivement supplanté par le parchemin.

Ce dernier tire son nom de la ville de Pergame en Asie Mineure où le roi Eumène II (195-158 av. J.-C.) l'aurait employé pour la première fois. Il se répand aux IIIe et IVe siècles après Jésus-Christ à la

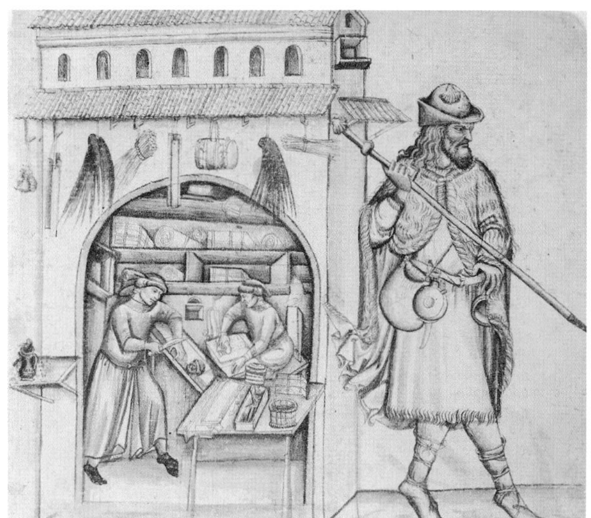

La boutique d'un parcheminier.
Floriano da Villola, *Cronica*, XIVe siècle.
BU de Bologne, ms. 1456, f°. 4.

Après avoir écorché l'animal, on trempe les peaux dans la rivière pendant un jour puis on les lave pour les débarrasser de leurs impuretés et pour nettoyer la laine. On les égoutte et on les empile les unes sur les autres en ayant bien soin de placer toujours au-dessus le côté chair. Ensuite intervient le barbouillage des peaux du côté chair avec la chaux, puis le pliage des peaux en deux, côté chair sur côté chair. Au bout de huit à quinze jours, on lave les peaux une nouvelle fois et on les dépouille de leur laine. Les peaux sont alors placées dans des bains de chaux de force différente puis lavées à nouveau et tendues sur des cadres de bois rectangulaires ou circulaires appelés herses. C'est dans cette position que l'on procède à l'écharnage de la peau. Les peaux sont saupoudrées d'une craie, la « groison ». Enfin, les peaux sont grattées à la pierre ponce et frottées d'une peau d'agneau pour rendre leur surface libre et souple.

***Archeologia*, novembre 1982, p. 54.**

faveur d'améliorations techniques. Son succès demeure incontesté en Occident jusqu'à l'apparition du papier au XIIIe siècle. Toutes sortes d'animaux peuvent fournir des peaux pour la fabrication du parchemin : la chèvre ou le mouton donnent la qualité la plus ordinaire, la basane. Le velin, la qualité la plus fine ou la plus prisée, est tiré de la peau d'un veau. Au Moyen Age, la fabrication du parchemin est réalisée dans des ateliers spécialisés. Les parcheminiers sont installés dans les villes ou à la proximité des monastères. La préparation de la peau est une opération longue et minutieuse qui prend plusieurs semaines.

Les peaux sont vendues par botte, soit vingt-quatre ou trente-six peaux. Elles sont pliées en deux ou en quatre ; la pliure détermine les formats, *in quarto* pour les plus grands, *in octo* pour les petits, et réunies en cahiers. Pour les manuscrits de luxe, le parchemin peut être teinté en pourpre ou en noir, les lettres sont alors écrites en or ou en argent. La peau est plus solide, moins sensible au feu que le papyrus ou le papier. Elle peut être réutilisée pour les reliures ou grattée et réécrite. Les palimpsestes sont des manuscrits qui ont ainsi été réécrits. L'utilisation des rayons ultraviolets a parfois permis d'y découvrir plusieurs écritures superposées, d'époques différentes.

A la fin du Moyen Age, le parchemin est concurrencé par un nouveau support venu d'Orient, le papier. Il est inventé en Chine vers 105 après Jésus-Christ par le directeur des scribes de l'empereur, Lei Yang. Sa diffusion suit la route de la soie ; il est à Samarkand en 750, à Bagdad en 793, au Caire en 900 et au Maroc et en Espagne musulmane en 1100. Fabriqué à partir de chiffons plongés dans un bain de chaux, il est constitué de fibres croisées et tendues sur des cadres. En Espagne, les rois d'Aragon protègent cette industrie très présente à Valence. Les Italiens l'importent dès le XIIIe siècle. Elle ne se développe en France qu'au siècle suivant, en particulier dans la région de Troyes en Champagne. Entre-temps, la technique a progressé grâce à l'utilisation du moulin à papier et de la presse. Longtemps considéré comme moins solide et moins noble que le parchemin, le papier finit cependant par s'imposer en raison de son prix très compétitif. Il est déjà treize fois moins cher que le parchemin au XVe siècle.

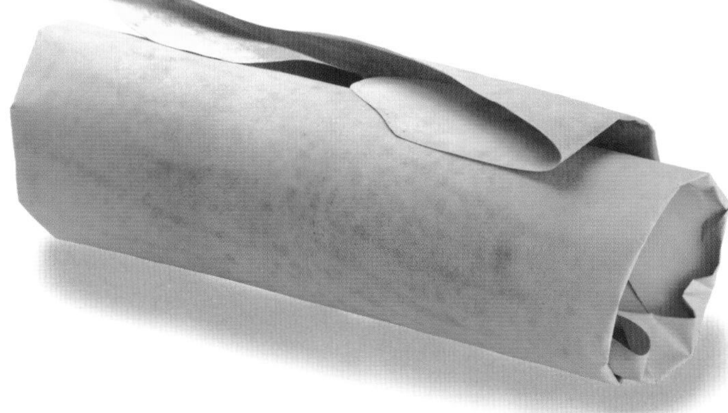

Rouleau de parchemin.
Coll. Thierry Richard, calligraphe.

Le scribe et ses outils

Avant l'invention de l'imprimerie au XVe siècle, le scribe est le grand spécialiste de l'écriture. Il dispose d'un certain nombre d'instruments qui lui permettent d'accomplir une tâche souvent lente et fastidieuse. Certains historiens ont estimé qu'un écrivain professionnel ne peut guère espérer copier plus de deux ou trois feuillets par jour. Il s'entraîne à l'écriture sur des tablettes de cire qu'il grave à l'aide d'une pointe de métal, d'os ou d'ivoire. Pour tracer des lettres sur le parchemin ou le papier, il dispose de trois outils essentiels : la pointe, une mine de plomb, d'argent ou d'étain qui sert pour les brouillons et surtout pour tracer les

Fortunat écrit à l'aide d'un stylet et d'un couteau.
Fortunat, *Vie de sainte Radegonde*, XIIe siècle.
Médiathèque François-Mitterrand, Poitiers, ms. 250, f°. 21 v°.

Un scribe rédige son texte au calame. ***Vie et miracles de saint Amand,*** **XIIe siècle.**
BM de Valenciennes, ms. 501, f°. 5 v°. Photo F. Leclercq.

réglures afin de présenter des pages bien homogènes, le calame, un roseau taillé, utilisé depuis l'antiquité égyptienne, mais encore très présent durant tout le Moyen Age et enfin, la plume d'un oiseau.

Les traités d'écriture évoquent l'emploi de plumes de canard, de corbeau, de cygne et même de vautour ou encore de pélican, mais les professionnels de l'écriture leur préfèrent la plume d'oie. Ils précisent qu'il est souhaitable d'utiliser la troisième ou la quatrième plume de l'aile gauche d'un jars, mais il s'agit d'un idéal inaccessible ! Seule, une dizaine de plumes peuvent être prélevées sur une oie ; elles s'usent vite et l'on en arrive parfois à une situation de pénurie à la fin du Moyen Age. Le scribe taille la plume à l'aide d'un canif. La taille détermine le style de l'écriture : un bec symétrique permet un rythme fort avec des verticales accentuées et des horizontales plus fines ; un bec biseauté à droite engendre une écriture régulière tandis qu'un bec biseauté à gauche permet une alternance de pleins et de déliés. S'il commet une erreur, le scribe la fait disparaître à l'aide d'un grattoir.

Le scribe écrit à l'encre noire, obtenue grâce à la décoction de substances végétales comme la noix

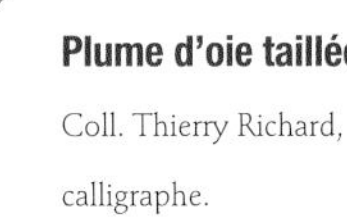

Plume d'oie taillée.
Coll. Thierry Richard, calligraphe.

Saint Jérôme illustre une rubrique à l'encre rouge. **Fragments de divers manuscrits provenant de l'abbaye de Pontigny, XIIe siècle.**
BM d'Auxerre, ms. 17.

L'ATELIER D'UN MOINE COPISTE

On lui remettra un encrier, des plumes, de la craie, deux pierres ponces, deux cornes, un canif, deux rasoirs pour racler le parchemin, un poinçon ordinaire, un crayon de plomb, une règle, des tablettes (de cire) et un stylet.
Guigues le Chartreux, *Coutumes des chartreux*.

Calame.
Coll. Thierry Richard, calligraphe.

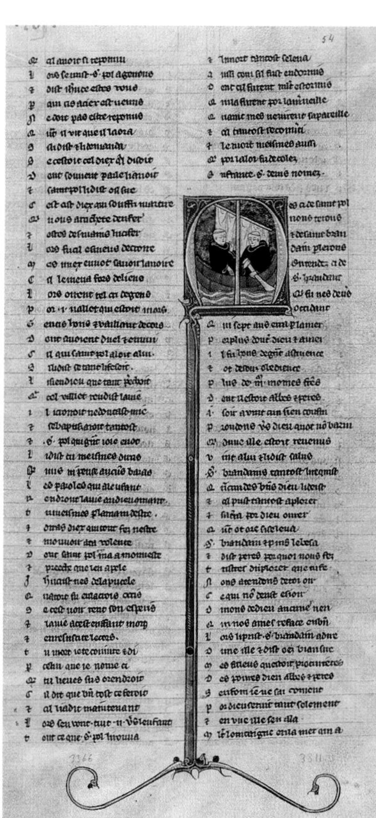

Un manuscrit du XIVe siècle composé sur deux colonnes. **Compilation d'ouvrages de vulgarisation scientifique, XIVe siècle.**

BM de Rennes, ms. 593, f°. 54.

Scène de calligraphie chez les bénédictines d'Argentan.

Photo Patrice Thébault.

de galle et l'ajout de sulfate de plomb ou de fer ; l'encre de seiche est très peu utilisée au Moyen Age. Il réserve l'encre rouge aux titres des ouvrages et des chapitres. Cette coutume a donné son nom aux rubriques, terme dérivé du latin *ruber* qui signifie rouge. En l'absence d'une table des matières, elle permet au lecteur de se repérer plus vite dans le manuscrit. Le modèle à copier ainsi que des feuilles de parchemin blanches, non reliées, sont confiés au scribe. Afin d'accélérer la copie, un manuscrit peut être divisé en cahiers, distribués à plusieurs scribes qui se partagent le travail. Ceux-ci commencent par régler la page en y traçant des lignes à la mine de plomb. La réglure leur permet de délimiter les marges, les colonnes de texte, le nombre de lignes et de réserver en blanc les emplacements destinés à l'illustration et aux lettrines.

Les lettrines permettent au lecteur de se repérer plus rapidement. ***Sacramentaire de Gellone*, IXe siècle.**

BnF, ms. lat. 12048, f°. 76 v°.

Le décor du manuscrit

Tous les manuscrits médiévaux ne sont pas dotés d'une illustration, les ouvrages enluminés sont sans doute largement minoritaires. Cependant, ils ont été souvent mieux conservés car plus précieux. L'enluminure a une double fonction : elle est d'abord décorative, elle embellit l'ouvrage et le rend plus attrayant, mais elle joue aussi un rôle pédagogique en éclairant le texte. Deux termes évoquent de nos jours la peinture des manuscrits, ceux d'enluminure et de miniature. Le dernier, dérivé du latin *minium*, un sulfure de plomb qui donne la couleur rouge, n'est guère utilisé au Moyen Age qui lui préfère le mot d'enluminure. C'est ainsi que Dante évoque dans la *Divine Comédie* la renommée des ateliers parisiens : *Quell'arte, ch'alluminare a chiamata in Parigi,* « Purgatoire », XI, 80. L'enlumineur reçoit une feuille de parchemin déjà écrite sur laquelle des espaces ont été délimités par le scribe afin qu'il puisse y réaliser ses peintures. En réalité, ce sont souvent plusieurs mains qui interviennent dans l'exécution du décor d'un manuscrit. L'« enlumineur de lettres », parfois un scribe, se contente des lettres, l'« enlumineur de bordures » réalise le décor des marges et l'« historieur » ou « peintre d'histoires » compose les scènes historiées.

L'imagination du peintre transforme une simple majuscule en une scène de combat.
Saint Grégoire le Grand, *Moralia in Job*, XIIe siècle.
BM de Dijon, ms. 168, f°. 4 v°. Photo F. Perrodin.

Le décor des majuscules laisse la place à de véritables compositions à la fin de l'époque romane.
Bible de Saint-André-du-Bois, **XIIe siècle.**
BM de Boulogne-sur-Mer, ms. 2 (t. 1), f°. 22.

Le décor le plus simple consiste à la fin du Moyen Age en la succession de lettres d'or, peintes sur des fonds alternés, bleus et rouges. Outre leur aspect décoratif, ces lettrines ont l'avantage de rompre le caractère monotone de l'écriture et de permettre au lecteur de se retrouver plus facilement dans le texte. Dans les manuscrits plus soignés, des lettres de plus grande taille ornées de motifs végétaux, animaliers ou humains délimitent les grandes articulations du texte. Des initiales historiées permettent parfois à l'enlumineur de développer de véritables scènes. A l'époque romane (XIe-XIIe siècles), les animaux et les humains doivent s'adapter à la forme de la majuscule qui peut aussi servir de cadre à une véritable composition. Les jambages de l'initiale emplissent la marge et permettent au décor de s'y développer. Ce n'est pourtant qu'à la fin du Moyen Age, au XIVe siècle, que l'illus-

La double page devient le prétexte à un véritable diptyque peint.

Heures d'Etienne Chevalier, **enluminure de Jean Fouquet, XVe siècle.**

Musée Condé, Chantilly, ms. fr. 71, f°. 1-2. Bridgeman-Giraudon.

tration des bordures connaît un véritable essor. Les marges se peuplent alors de motifs végétaux, acanthes ou bouquets de fleurs, d'animaux réels et fantastiques, de personnages, d'armoiries et parfois de petites scènes dans des médaillons. Le peintre d'histoire intervient le dernier pour réaliser sur des demi-pages ou des pleines pages les compositions les plus importantes. Dans certains manuscrits de luxe comme les *Heures d'Etienne Chevalier*, peintes par Jean Fouquet vers 1474, la peinture représentant le donateur agenouillé devant la Vierge se déploie sur deux folios à la manière d'un véritable diptyque.

Les bordures se peuplent d'une flore luxuriante.

Heures de Marguerite de Foix, **XVe siècle.**

Collection Salting n° 1222, f°. 83 v°.-84.

Victoria & Albert Picture Museum, Londres.

LA MISSION DU SCRIBE

Qu'ici s'asseyent ceux qui écrivent les paroles de la loi sainte ainsi que les enseignements sacrés des Saints Pères. Qu'ils se gardent de mêler leurs propos frivoles à ces paroles, afin que ne s'égare pas leur main distraire. Qu'ils se procurent des ouvrages soigneusement corrigés et que la plume du volatile aille par le droit chemin. Qu'ils distinguent le sens précis des phrases au moyen des pieds et des césures, et posent les signes de ponctuation à leur place exacte afin que le lecteur dans l'église, devant ses frères dévots, ne lise pas des erreurs ou bien ne tourne peut-être court soudain. C'est une noble tâche que de copier des livres sacrés, et le scribe ne manquera pas sa récompense. Il est préférable d'écrire des livres que de planter des vignes : celui-là entretient son ventre, celui-ci son âme. Il est loisible au maître de faire connaître beaucoup de vieux ou de neuf, mais chacun lit les saints écrits des pères.

Alcuin, « Carmina », *MHG, Poetae latini aevi carolini*, Berlin, t. I, 1881, p. 320.

Saint Augustin écrit sous la dictée d'un ange.
Saint Augustin, *Commentaire de la Genèse,* XIIe siècle.
BM d'Avranches, ms. 75, f°. 1 v°.

Des monastères aux ateliers urbains

En dépit de la relative stagnation des procédés techniques mis à la disposition des parcheminiers, des scribes et des enlumineurs au cours de cette longue période, la production des manuscrits a cependant connu de profondes évolutions au cours du Moyen Age. Concentrée dans les monastères au cours des premiers siècles, elle s'est ensuite implantée en ville, donnant naissance à un véritable marché du livre.

Les *scriptoria*

Après l'effondrement de l'Empire romain au Ve siècle, la production des livres trouve refuge pour une longue période (Ve-XIIe siècle) dans les centres religieux d'Occident, en particulier, dans les monastères. Cette concentration entraîne deux conséquences : la quasi-disparition du commerce des livres et le fait que leur production se réduit à une activité non lucrative, pratiquée par les moines. En effet, la fabrication des manuscrits est encouragée par la règle de saint Benoît qui prescrit la présence de livres au sein des monastères. Les moines ont besoin de livres pour chanter la messe ; il leur est aussi recommandé à l'entrée du carême de choisir un ouvrage pieux dans la bibliothèque du monastère afin de le lire et de méditer ses paroles. Dans l'un de ses poèmes, Alcuin, abbé de Tours et proche de Charlemagne, insiste sur la sainteté du travail du copiste.

Evangiles de Saint-Médard de Soissons, IXe siècle.
BnF, ms. lat. 8850, f°. 82.

l'*armarius*, le moine chargé de la bibliothèque du monastère. Les copistes, les « rubricateurs » qui écrivent les titres en rouges, les enlumineurs, les correcteurs et les relieurs collaborent à l'élaboration du manuscrit. Ils copient souvent un modèle prêté par un autre monastère et ils doivent parfois se rendre sur place pour reproduire un exemplaire unique. Les scribes se partagent le travail par cahier ; un manuscrit peut ainsi révéler l'existence des mains qui y ont collaboré.

Au XIe siècle, le monastère de Saint-Martin de Tournai voit une douzaine de scribes travailler de concert dans le *scriptorium*. Ils peuvent copier environ quatre folios par jour. Les Chartreux et les Cisterciens préfèrent un travail individuel. A Clairvaux en Champagne, le monastère fondé au XIIe siècle par saint Bernard, huit cellules sont installées pour les copistes, le long de l'abbatiale.

Le chef de l'atelier réunit les cahiers rédigés par les copistes, corrige leurs erreurs en ajoutant les mots oubliés en rouge ou en

Les moines doivent produire eux-mêmes les ouvrages qu'ils souhaitent lire. C'est pourquoi un grand nombre de monastères disposent d'un atelier de copie de manuscrits, le *scriptorium*, installé dans une salle donnant sur le cloître et parfois chauffé. Il est meublé de pupitres, de sièges et doté de réserves de plumes et d'encre. Les scribes y travaillent en commun sous la direction de

Une riche bibliothèque.
Benoît de Sainte-Maure, *Roman de Troie*, XIVe siècle.
BnF, ms. 782, f°. 2 v°.

soulignant les termes erronés par une rangée de points. Il confie le décor aux enlumineurs, souvent des moines. A la fin du XIe siècle, Hugo, un moine normand travaillant à l'abbaye de Jumièges, peint son autoportrait dans un colophon placé à la fin d'une copie des *Commentaires de saint Jérôme*. Cependant, il existe déjà à l'époque romane des artistes laïcs qui collaborent à la décoration des manuscrits. Un peintre lombard, nommé Nivard, réside et travaille à Fleury au début du XIe siècle.

Les livres achevés sont conservés dans des coffres dans le *scriptorium* ou la sacristie. Les rares reliures du XIIe siècle, qui nous sont parvenues, sont formées de plats de bois, recouverts de cuir. Le titre du manuscrit est inscrit sur le dos ; une petite languette de cuir dépasse en haut et en bas du dos. Les livres sont rangés sur le dos et la languette permet de les attraper.

Parmi les premiers manuscrits réalisés dans des ateliers monastiques, l'Irlande a fourni des chefs-d'œuvre de l'enluminure. Copiés dans un style qualifié d'« écriture insulaire » et enrichis d'un décor exubérant, d'inspiration celtique, ce sont le plus souvent des Evangiles comme le *Livre de Durrow*, un évangéliaire réalisé vers 675, L'art monastique irlandais atteint son apogée avec le *Livre de Kells*, copié au milieu du VIIIe siècle.

Les moines irlandais fondent des monastères en Angleterre et sur le continent à Luxeuil et à Bobbio qui deviennent à leur tour de grands *scriptoria*. Dans le nord de la France, le *scriptorium* de Corbie produit au VIIIe siècle une Bible en douze volumes, copiée par sept scribes au moins. Ce monastère demeure un grand centre de production au début du IXe siècle sous l'abbatiat d'Adalard, un proche de Charlemagne.

La renaissance carolingienne est en effet marquée par la volonté de l'empereur de doter les grands monastères des textes fondamentaux : Bible, écrits patristiques et classiques latins, rédigés dans une écriture claire et lisible, la caroline. Les principaux monastères de l'époque carolingienne, comme Ferrières sous l'abbatiat de Loup (805-862), Saint-Benoît-sur-Loire sous Abbon, Saint-Denis sous Hilduin, Saint-Amand en Pévèle, Tours sous Alcuin (796-802), Reichenau, fondé sur le lac de Constance au VIIIe siècle, Saint-Gall en Suisse, Corvey en Saxe et les cathédrales, celle d'Orléans sous l'épiscopat de Théodulfe, celle de Reims sous l'archevêque Hincmar (845-882) et celles de Cologne et de Mayence, deviennent de grands centres de copie et d'enluminure.

Les invasions normandes, en s'attaquant aux monastères, marquent un coup d'arrêt brutal à la floraison carolingienne. Le Xe siècle voit la renaissance des *scriptoria* monastiques grâce à la réforme des monastères entreprise par Cluny. Des ateliers de copie et d'enluminure voient le jour au Mont-Saint-Michel et à Jumièges en Normandie, à Saint-Bénigne en Bourgogne, à Saint-Victor de Paris et dans le sud de la France dans les grands monastères bénédictins de Saint-Sever, de Moissac et de Saint-Martial de Limoges. La création de l'ordre cistercien provoque à son tour au début du XIIe siècle l'essor de la production des manuscrits destinés aux nouvelles fondations.

Reliure.

BM de Rennes, 2452 rés.

Gloses autographes d'Anselme de Laon, XIIe siècle.

BM de Laon, ms. 78.

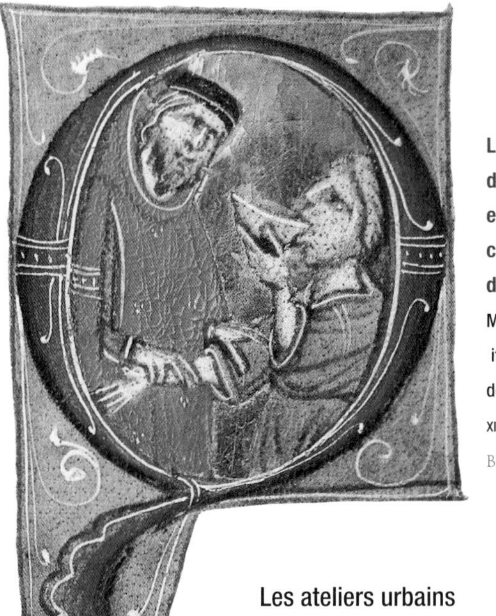

Les progrès des écoles urbaines encouragent la copie de traités de médecine.
Manuscrit d'origine italienne, Recueil de traités de médecine, XIVe siècle.
BM de Laon, ms. 413.

Les ateliers urbains

Au XIe siècle, l'adoption progressive de la lecture silencieuse modifie le rapport au livre. La ponctuation et la séparation des mots font leur apparition en France du Nord au cours de la seconde moitié du XIe siècle. C'est également à cette époque que les enlumineurs commencent à représenter les auteurs en train d'écrire leur ouvrage une plume à la main et non plus en train de le dicter à un scribe. Cet essor de la lecture silencieuse et individuelle est lié au développement des écoles urbaines où elle est pratiquée.

Les écoles épiscopales, souhaitées par Charlemagne, ne se développent vraiment qu'au XIIe siècle en même temps que les villes. A Paris, l'école de Notre-Dame attire des étudiants venus de tout l'Occident. La fréquentation des écoles engendre un véritable commerce du livre. Les libraires font leur apparition au début du XIIIe siècle. Ils passent commande de manuscrits aux copistes et les vendent aux nombreux étudiants et aux maîtres des écoles puis de l'université de Paris.

Les statuts de l'université de Paris, édictés en 1215, reconnaissent cet état de fait. Le *librarius* doit prêter serment à l'Université : il s'engage à faire copier et à diffuser les ouvrages mis au programme des études. En 1328 et 1342, l'Université enregistre vingt-huit serments. Les libraires sont protégés par le roi qui les exempte de taxe en 1307 et de guet en 1368. La lecture d'un registre fiscal parisien de 1392 montre que la capitale du royaume de France compte alors huit libraires, vingt-quatre « escrivains » (les copistes), onze « maistres d'escoles escrivains » qui complètent leurs revenus en copiant des manuscrits, un

Un copiste et sa femme travaillent dans le même atelier.
Roman de la Rose, XIVe siècle.
BnF, ms. fr. 25526, f°. 77 v°.

Un maître présente une plante médicinale à son élève.
Manuscrit d'origine italienne, Recueil de traités de médecine, XIVe siècle.
BM de Laon, ms. 413.

« escriturier » (autre terme pour désigner un copiste), treize enlumineurs, une femme « encrier », vendeuse d'encre, et dix-sept relieurs, parmi lesquels on trouve des étrangers, des Anglais et des Irlandais, et des femmes comme Jeanne, veuve de Richard de Montbaston, enlumineuse.

Ce système de production se développe dans les autres grandes villes universitaires européennes comme Oxford ou Bologne. Les libraires ou « stationnaires » dominent les quatre corps de métier liés à la production du livre : les parcheminiers, les copistes, les enlumineurs et les relieurs. Ils sont groupés à Paris dans le quartier Saint-Séverin, près de l'université, ainsi que sur l'île de la Cité, rue Neuve-Notre-Dame, à proximité de la cathédrale.

Parmi les copistes, les libraires recrutent beaucoup d'étudiants qui travaillent pour subvenir à leurs besoins ou pour obtenir les textes nécessaires à leurs études. Les stationnaires disposent des exemplaires originaux, ils reçoivent les commandes et louent les modèles sous la forme de cahiers aux copistes. Ce système de la *pecia* a l'avantage d'accélérer la copie des manuscrits et d'en réduire le coût.

Le modèle de ces productions universitaires est la Bible, en un seul volume de très petit format, copiée sur un velin très fin, sur deux colonnes dans une écriture serrée. Ce type de manuscrit copié à Paris a connu un succès international et de nombreux exemplaires en sont aujourd'hui conservés dans les bibliothèques européennes.

Le libraire Nicolaus Lombardus, sans doute d'origine italienne, fournit un bel exemple de cette production parisienne. Il est installé entre 1248 et 1277 rue Neuve-Notre-Dame où il vend à Gui de la Tour, évêque de Clermont (1250-1286), une collection complète de livres de la Bible, glosés, en onze volumes. Le travail de copie est confié à plusieurs scribes, payés par lui cinq sous les deux cahiers de seize pages. Le coût total de ce manuscrit revient à la somme considérable de soixante-dix livres.

Le marché du livre est donc désormais bien organisé entre les mains de professions urbaines et la production des manuscrits échappe aux monastères pour s'installer en ville. Les corporations établissent des statuts et des règlements qui permettent de maintenir une production de haute qualité. A partir du XIVe siècle, quelques copistes et enlumineurs parviennent à échapper au cadre des Métiers jurés en entrant dans la maison du roi ou d'un prince comme artistes de cour. Jacquemart de Hesdin, peintre, enlumineur et sculpteur, entre vers 1384 au service du duc de Berry pour lequel il peint deux livres d'Heures, les *Petites Heures* et les *Grandes Heures*. A la mort du duc de Bourgogne, leur précédent mécène, Jean de Berry recrute les Frères de Limbourg qui réalisent pour lui les enluminures du plus célèbre des manuscrits du Moyen Age, les *Très Riches Heures* du duc de Berry.

Un commanditaire rend visite à un scribe, XVe siècle.
BnF, ms. lat. 4915, f°. 1.

Videntes autem cognouerunt de ver-
bo: quod dictum erat illis de
puero hoc. Et omnes qui audie-
runt mirati sunt: et de hijs que
dicta erant a pastoribus ad ipsos.
Maria autem conseruabat
omnia verba hec: conferens in corde suo. Et reuersi sunt pastores glo-
rificantes et laudantes deum in
omnibus que audierant et
viderant: sicut dictum est ad
illos. Off. Deus enim firmauit
orbem terre qui non commouebitur parata
sedes tua deus ex tunc a seculo tu es. Secr.
Munera nostra quesumus domine
natiuitatis hodierne
mysterijs apta proueniant:
ut sicut homo genitus idem re-
fulsit deus. sic nobis hec terre-
na substantia conferat quod
diuinum est. Per dominum. alia secr.
Accipe quesumus domine munera
dignanter oblata: et be-
ate anastasie suffragantibus
meritis: ad nostre salutis auxi-
lium prouenire concede. Per. Com.
Exulta satis filia syon lauda filia
ierusalem ecce rex tuus venit sanctus et

saluator mundi. Post communio.
Huius nos domine sacramenti
semper nouitas natalis
instauret: cuius natiuitas
singularis humanam repu-
lit vetustatem. Per dominum. aliud.
Satiasti domine famili-
am tuam muneribus
sacris: eius quesumus semper interuen-
tione nos refoue. cuius solemnia ce-
lebramus. Per dominum
nostrum. ad magnam missam

Puer natus est no-
bis. et filius datus
est nobis: cuius
imperium super
humerum eius et vocabitur nomen
eius magni consilij angelus. Ps.
Cantate domino canticum nouum

UN OBJET PRÉCIEUX ET MENACÉ

La France est sans aucun doute le pays d'Occident où le plus grand nombre de manuscrits a été conservé. En dépit des disparitions et des destructions massives, l'ampleur des collections sauvegardées dans les bibliothèques publiques de France témoigne de l'attachement des lecteurs du Moyen Age à leurs manuscrits.

Le livre, un outil majeur de la culture médiévale

Le livre demeure tout au long de la période médiévale l'objet des préoccupations de ses créateurs et de ses propriétaires. Rare autant que précieux, le manuscrit suscite bien des convoitises. Sa possession s'accompagne d'une véritable qualification au sein de la société médiévale où il est le plus souvent réservé aux deux ordres qui dominent le peuple chrétien, le clergé et la noblesse. Issu d'un processus de fabrication long et complexe, le moindre des manuscrits atteint un prix suffisant pour en faire un objet de luxe, réservé à quelques privilégiés. Les rares contrats de commande conservés de nos jours et les indications que les propriétaires ont parfois portées sur leurs manuscrits permettent à l'historien d'apprécier ces ouvrages à leur juste valeur.

En outre, le livre est rarement conjugué au singulier. Le plaisir ou la nécessité de la lecture entraîne la création des bibliothèques publiques ou privées.

Si les premières bibliothèques apparaissent dans les monastères, elles sont ensuite relayées par celles des universités et les collections privées, assemblées par des hommes d'Eglise et des laïcs. Ces derniers partagent la même passion bibliophile pour les beaux livres. Le Moyen Age voit apparaître des figures de collectionneurs célèbres comme Jean de Berry, amateur fervent de manuscrits richement enluminés, puis au XVe siècle, celles des premiers humanistes italiens et français qui se lancent à la recherche de manuscrits inédits et des textes anciens. Cette passion des livres peut engendrer les pires excès et la tentation du vol est très forte.

Le prix des livres

Même s'il n'est pas enluminé, le livre coûte cher, comme nous le révèlent les plus récentes études de codicologie. Il faut d'abord acheter le parchemin, vendu par botte de vingt-quatre ou de trente-six peaux, soit un sou et trois deniers la peau,

Le cardinal Rolin fut un riche collectionneur de manuscrits richement enluminés.
Missel de Jean Rolin,
XVe siècle.
BM d'Autun, ms. 114 A, f°. 22 v°. Photo IRHT.

un prix assez constant pendant toute la fin de la période médiévale. Il faut ensuite payer la copie, un coût particulièrement élevé qui oscille entre neuf deniers et demi à quatorze deniers la page et une tâche pénible si l'on en croit les nombreuses plaintes des scribes exhalées dans les colophons, Si un scribe copie en moyenne trois feuillets par jour, il faut compter environ deux mois et demi pour un manuscrit de deux cents feuillets, soit quatre cents pages. L'enluminure et la reliure viennent encore s'ajouter au prix de fabrication d'un manuscrit. On estime ainsi qu'une bible de grand format coûte environ vingt livres, soit le revenu annuel d'une seigneurie moyenne à la fin du Moyen Age. Pour un lettré du XVe siècle, l'achat d'un livre représente, grosso modo, l'équivalent de douze jours de salaire d'un secrétaire de la chancellerie royale, un officier fort bien payé.

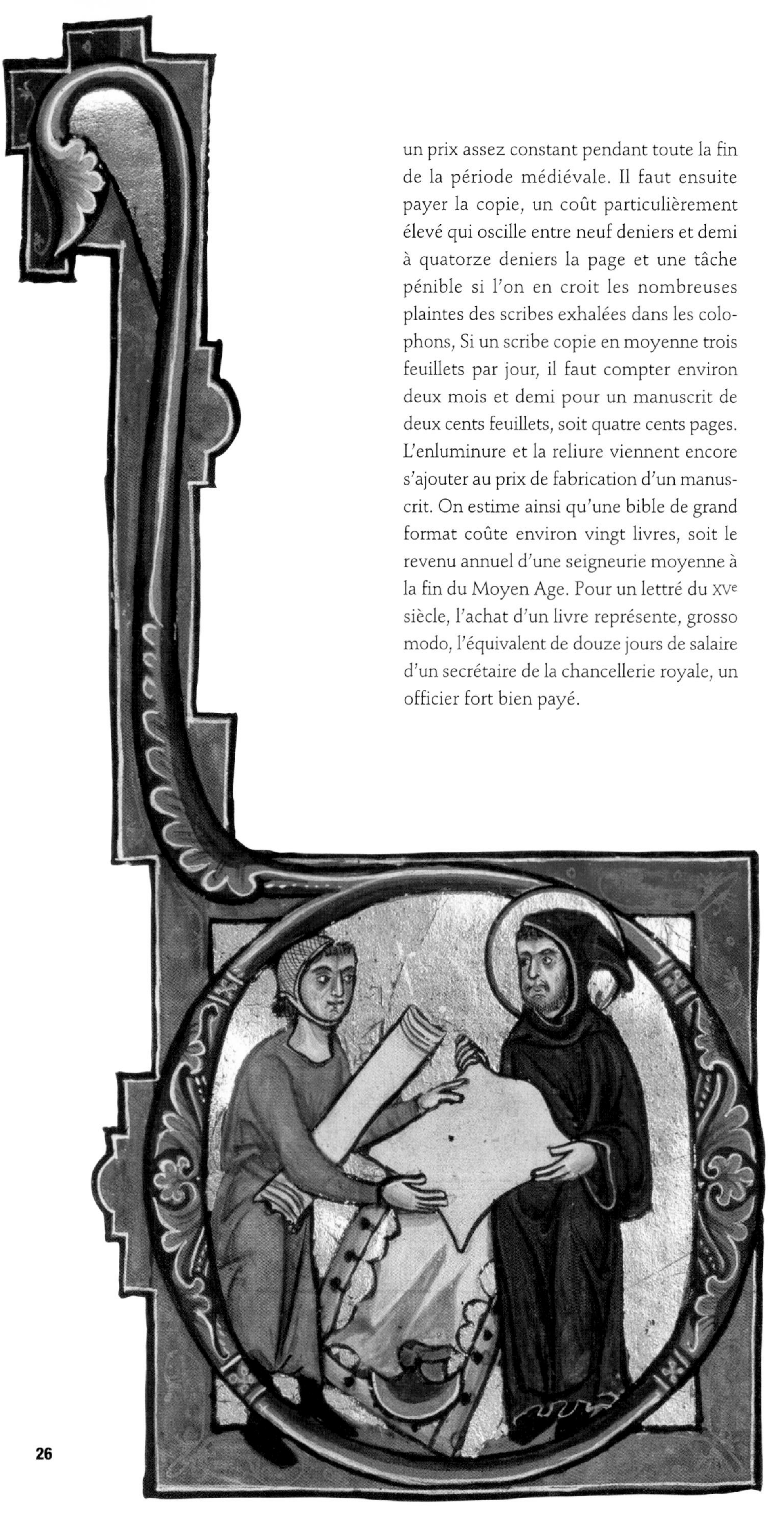

Un moine achète du parchemin à un artisan.
Manuscrit allemand du XIIIe siècle.
Grs 4, II, f°. 183 r°. Det Kongelige Bibliotek, Copenhague.

Le prix du livre demeure donc élevé tout au long du Moyen Age. Le manuscrit ne devient jamais un bien de consommation courante ; c'est pourquoi on le conserve précieusement, il est légué dans les testaments, conservé dans des bibliothèques. Quelques acheteurs prennent soin d'indiquer sur leur livre les dépenses qu'ils ont effectuées. C'est ainsi que, dans le premier tiers du XIIIe siècle, un riche chanoine de la cathédrale de Langres, Ferry de Pontailler, commande une série de livres bibliques ; sur l'un d'entre eux, il a récapitulé ses dépenses. Il s'agit d'Evangiles en deux volumes : pour le parchemin, il a payé cent sous, soit cinq livres, pour la copie neuf livres et cinq sous, pour la location du modèle, la *pecia,* cinq sous. Le manuscrit n'est pas enluminé, il a coûté au total quinze livres (on peut estimer le prix moyen d'une maison de ville à cette époque à cent livres). On constate que c'est la copie, travail long et fastidieux, qui grève le plus le budget du commanditaire.

Quelques améliorations apportées à sa fabrication à la fin du Moyen Age permettent de faire baisser le prix du livre. La réduction des formats, l'emploi du papier au lieu du parchemin, un appauvrissement du décor, de plus en plus stéréotypé, et des reliures plus modestes, ouvrent le marché du livre à une clientèle plus modeste. Cependant, un manuscrit neuf reste encore très cher. La plupart des acquéreurs doivent se contenter d'ouvrages d'occasion beaucoup plus accessibles. L'analyse de l'inventaire, réalisé à la mort de Jean de Berry en 1416, révèle une forte dévaluation des manuscrits d'occasion. Ainsi, entre ce que le duc a payé à la commande et la valeur estimée de ses livres au moment de sa disparition, la décote serait de 54 %. Il faut sans doute mettre cette chute des prix sur le compte des circonstances particulièrement difficiles de leur vente. Jean de Berry meurt au moment où la guerre de Cent Ans bat son plein, où le roi d'Angleterre Henri V occupe une partie du territoire français. Les acheteurs ne se pressent pas et il est fort probable que la vente de ses manuscrits se soit produite dans des conditions difficiles et les manuscrits cédés à des prix sacrifiés. Dans l'ensemble, les manuscrits d'occasion coûtent cependant deux fois moins cher que les livres neufs.

La commande n'est pas l'unique moyen d'acquérir des livres. Les lecteurs peuvent s'adresser aux libraires pour acheter des livres d'occasion ou se tourner vers des marchands. Dino Rapondi, un négociant italien, originaire de Lucques, devient, à partir de 1384, l'un des grands fournisseurs en produits de luxe du duc de Bourgogne Philippe le Hardi. Sa compagnie, dont le siège se trouve dans sa ville natale de Lucques, dispose de comptoirs à Bruges, à Avignon ou encore à Paris. Il vend au prince des étoffes précieuses, des pièces d'orfèvrerie et des livres destinés à enrichir ses collections. Les livres que Dino Rapondi vend au duc de Bourgogne sont de véritables pièces de collection, richement enluminés, leurs prix oscillent entre cent et six cents francs.

Tous les lecteurs du Moyen Age ne partagent pas la passion bibliophile des ducs de Bourgogne et de Berry. Ils doivent se contenter, en raison de leur statut ou de leurs modestes moyens, de fréquenter des bibliothèques.

Les premières bibliothèques

Au début du Moyen Age, la lecture est presque une exclusivité monastique. Il n'est pas permis aux moines par la règle de saint Benoît de disposer de leurs propres livres ; pour assouvir leur soif de lecture, ils doivent s'adresser à la bibliothèque de leur monastère. Saint Augustin (397-422), dans son *De doctrina christiana,* recommande l'étude des livres des auteurs classiques comme une préparation à l'étude des textes sacrés. Les premières bibliothèques apparaissent donc dans les monastères. Cependant, il ne faut pas en déduire que les laïcs ne possèdent pas de livres au haut Moyen Age ; toutefois, ces ouvrages sont rares et les amateurs aussi. Le comte Rorigon, gendre de Charlemagne, donne sa Bible, copiée vers 835, conservée de nos jours à la Bibliothèque nationale de France (BNF, ms. lat. 3), à l'abbaye de Glanfeuil près d'Angers. Quelques décennies plus tard, les moines de Glanfeuil fuyant les raids des Vikings, l'emportent avec eux à Saint-Maur-des-Fossés, près de Paris.

Dès le IXe siècle, l'usage intensif des livres dans la célébration de la liturgie chrétienne entraîne la multiplication et la création de toute une gamme de manuscrits : évangéliaires, sacramentaires, missels, bréviaires, légendiers, etc. A la fin du Moyen Age, les procès-verbaux réalisés à l'occasion des visites pastorales des évêques dans les églises paroissiales de leur diocèse révèlent la présence de nombreux livres dans les sanctuaires, les chapelles et les sièges des confréries. Ils sont aussi présents dans les monastères, les hôpitaux, les collégiales, et bien sûr les cathédrales. A partir du XIIIe siècle, les livres trouvent leur place chez les membres de l'Université, maîtres et écoliers. Les auteurs anciens côtoient les modernes. Les ouvrages universitaires s'intéressent à la théologie, au droit ou à la médecine. C'est aussi à cette époque que les rois, les princes et grands aristocrates réunissent leurs premières collections de volumes consacrés à l'édification religieuse et morale mais aussi au savoir politique et au divertissement à travers les romans et la poésie. Dans son *Songe du viel pèlerin,* un traité allégorique destiné au roi Charles VI et rédigé en 1389, Philippe de Mézières se permet de donner quelques conseils de lecture au jeune roi. Il lui recommande de lire la Bible, les traductions d'Aristote, de Tite-Live, de Sénèque et la *Cité de Dieu* de saint Augustin, mais d'éviter à tout prix les livres condamnables consacrés aux sciences occultes, l'astrologie, la géomancie et les romans.

Les bibliothèques monastiques

Les premières grandes bibliothèques d'Occident apparaissent au début du Moyen Age dans les monastères. La règle de saint Benoît, à laquelle obéit la majorité des communautés monastiques, recommande la lecture communautaire. Les repas, pris en commun dans le réfectoire, sont l'occasion d'écouter en silence un extrait de l'Ancien ou du Nouveau Testament. Tous les matins, les moines se réunissent dans la salle capitulaire pour y entendre la lecture d'un chapitre de la règle. Ils doivent aussi assister à des collations, des conférences tenues dans le cloître. Présidées par l'abbé, elles sont l'occasion d'aborder des thèmes religieux ; des écrits, faisant autorité, y sont lus afin d'enrichir la connaissance théologique des moines. Un bibliothécaire, choisi par l'abbé parmi les moines, a la garde des manuscrits de la communauté, remisés dans des coffres de la sacristie. L'*armarius* est souvent le responsable du *scriptorium*. Il confie également des livres aux moines qui pratiquent la lecture individuelle pendant la période du carême en guise de pénitence.

Les communautés de chanoines réguliers, régies par la règle de saint Augustin, recommandent à ceux-ci de lire. Ils peuvent demander au bibliothécaire de leur confier un livre le matin qu'ils doivent rendre avant la tombée de la nuit.

Les monastères bénédictins et les chanoines réguliers disposent donc de collections de manuscrits parfois assez importantes. On ignore presque tout de ces bibliothèques pour les premiers siècles du Moyen Age. La renaissance carolingienne semble avoir eu un impact considérable sur la croissance de ces collections de livres. On compte environ quatre cent vingt livres au monastère de Reichenau vers 822 et deux cent cinquante-six à la même époque à Saint-Riquier dans le nord de la Gaule. Les raids vikings, en s'attaquant aux monastères pour leur dérober leurs trésors, anéan-

Scènes de la vie de saint Jérôme. ***Bible de Charles le Chauve,*** **IXe siècle.**
BnF, ms. lat. 1, f°. 3 v°.

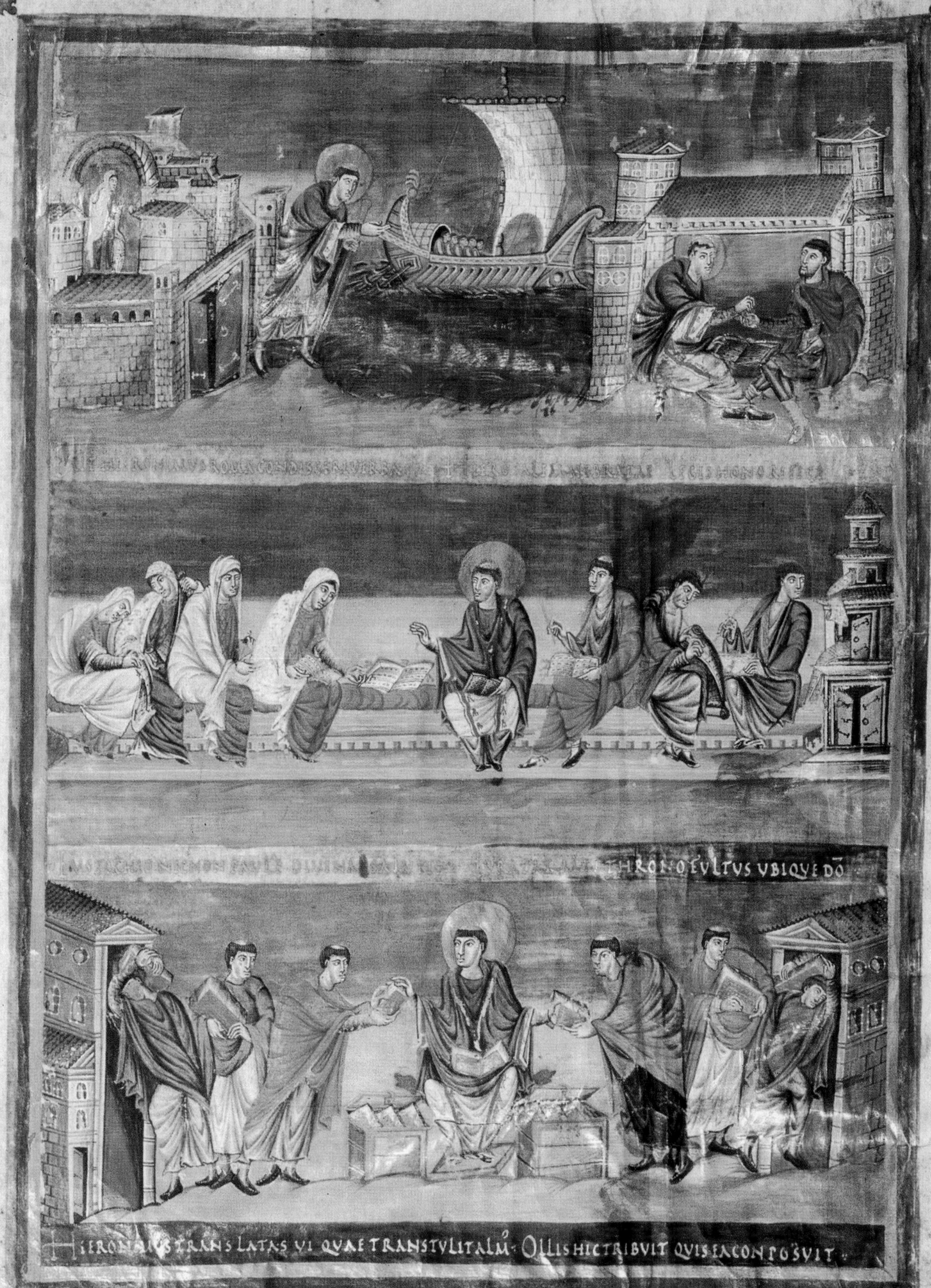
THRONO EVLTUS UBIQUE DŌ
HIERONIMUS TRANSLATAS VI QUAE TRANSTULIT ALMŪ · OLLIS HIC TRIBUIT QUIS EA CONPOSUIT

tissent de nombreuses bibliothèques. Il faut attendre la fin du Xe siècle pour voir se reconstituer les collections de manuscrits.

Non loin de Saint-Riquier, la bibliothèque du monastère bénédictin de Saint-Amand, fondé au VIIe siècle, compte au milieu du XIIe siècle deux cent vingt et un volumes et acquiert pendant les vingt années suivantes quatre-vingt-quatorze nouveaux codex. Celle du monastère de Fécamp en Normandie possède à la fin du XIe siècle quatre-vingt-sept manuscrits, et grâce à la protection des ducs de Normandie, en compte cent soixante-seize à la fin du siècle suivant.

Les siècles suivants voient une croissance constante de la production des manuscrits. Du XIe au XIIIe siècle, de nombreux ouvrages sont copiés afin de répondre aux nécessités de l'existence monastique. Ces ouvrages sont surtout religieux : des bibles, des écrits des Pères de l'Eglise, des livres de théologie et des récits hagiographiques. Les ouvrages des quatre docteurs de l'Eglise se taillent la part du lion dans les bibliothèques des abbayes. Saint Ambroise, saint Jérôme, saint Augustin et saint Grégoire occupent à eux seuls 40 % des manuscrits latins copiés dans la France du Nord pendant ces trois siècles. Les colophons et les ex-libris permettent parfois de situer le lieu de la copie.

Cette augmentation de la copie est liée à la fondation de nouveaux monastères. La croissance des bibliothèques monastiques se fait aussi par la copie des écrits de nouveaux auteurs comme Bernard de Clairvaux (1090-1153), Hugues de Saint-Victor (mort en 1141), ou Pierre Lombard (1100-1160). Il faut souligner, pour le royaume de France, le rôle essentiel pour la production de manuscrits joué par les nouveaux ordres monastiques comme les Chartreux et les Cisterciens. A la fin du XIIe siècle, on ne compte pas moins de deux cents maisons cisterciennes dans le pays.

Les statuts de l'ordre de Cîteaux imposent aux nouvelles fondations de posséder un missel, une règle de saint Benoît, un livre des

Une bible copiée et enluminée pour une nouvelle fondation monastique, Cîteaux.
***Bible d'Etienne Harding*, XIIe siècle.**
BM de Dijon, ms. 15, f°. 11 v°. Photo F. Perrodin.

Les *Moralia in Job* sont l'un des ouvrages les plus répandus dans les bibliothèques monastiques.
Saint Grégoire le Grand, *Moralia in Job*, XIIe siècle.
BM de Dijon, ms. 170, f°. 59. Photo F. Perrodin.

Un autre manuscrit de la riche bibliothèque de Cîteaux.
Saint Jérôme, Lettres et sermons, XIIe siècle.
BM de Dijon, ms. 135, f°. 183 v°. Photo F. Perrodin.

Usages de Cîteaux, un psautier, un collectaire, un lectionnaire et un antiphonaire. Les plus importants de ces monastères, Cîteaux, fondé en 1098, Clairvaux en 1115 et Pontigny en 1114, possèdent tous d'importantes collections. Un inventaire de la bibliothèque de Pontigny révèle que le monastère possède à la fin du XIIe siècle deux cents volumes. A la fin du XIIe siècle, Clairvaux en compte déjà trois cent cinquante, Cîteaux trois cent quarante. La bibliothèque municipale de Dijon a hérité, par le biais des confiscations révolutionnaires, de cent treize manuscrits copiés à l'abbaye de Cîteaux au XIIe siècle.

Ce souci de se procurer les ouvrages nécessaires à la liturgie n'est pas réservé aux Cisterciens. Tous les monastères bénédictins le partagent. Un minimum est nécessaire pour assurer le service religieux. Chaque communauté doit posséder un missel, des Evangiles, un psautier, un antiphonaire, un martyrologe et un lectionnaire. Le chroniqueur normand Orderic Vital (1075-v. 1143) a laissé le récit des efforts entrepris au milieu du XIIe siècle par l'abbé Thierry pour doter son monastère de Saint-Evroul des livres nécessaires à la vie de la communauté. Il parvient à réunir cent cinquante-trois volumes par copie ou grâce à des dons.

Au XIIIe siècle, le déclin de la fondation des monastères a des conséquences sur la production et la teneur des livres copiés. Les monastères acquièrent moins d'ouvrages, de nombreux *scriptoria* monastiques déclinent ou disparaissent. Les textes religieux sont relativement moins nombreux, en revanche, on voit se développer la copie de textes universitaires et d'ouvrages en langue vulgaire appartenant à littérature chevaleresque. La production des manuscrits s'est déplacée vers les villes. Les bibliothèques des monastères demeurent importantes, mais elles ne font plus l'objet de l'attention des moines.

A la fin du Moyen Age, certaines bibliothèques sont dans un état préoccupant. Les humanistes italiens et français qui les fréquentent dénoncent le laisser-aller qui y règne. Benvenuto de Imola a laissé un tableau désolant de l'état de l'une des plus importantes collections de manuscrits d'Occident, celle du Mont-Cassin au XIVe siècle.

La ruine d'une grande bibliothèque monastique

Pour la compréhension plus nette de cette lettre, je veux rappeler ce que me racontait avec humour mon vénérable maître Boccace de Certaldo. Il me disait, que se trouvant en Apulie et attiré par la réputation de l'endroit, il se rendit au noble monastère du Mont-Cassin dont il a été question. Curieux de voir la bibliothèque dont il avait entendu dire qu'elle était superbe, il demanda humblement à un moine, suivant l'exemple de Celui qui était toute douceur, qu'il voulût bien avoir l'amabilité de lui ouvrir la bibliothèque. Celui-ci de répondre sèchement, en lui montrant un haut escalier : « Montez, car elle est ouverte. » Boccace, tout heureux, gravit les marches et trouve le lieu de conservation d'un tel trésor sans porte ni clé. Une fois entré, il aperçut la végétation qui entrait par les fenêtres, et, sur les bancs, tous les livres couverts d'une épaisse couche de poussière. Stupéfait, il commença à ouvrir et à feuilleter un livre par-ci, un volume par-là, et il découvrit ainsi des exemplaires nombreux, et variés de livres anciens et étrangers. De ceux-ci, certains cahiers avaient été arrachés, de ceux-là les marges avaient été coupées, et, par le fait même, détériorés de toutes sortes de façons. Boccace, accablé en constatant que les travaux et les études de tant d'esprits distingués étaient tombés dans les mains d'hommes sans aveu, quitta la bibliothèque, dolent et au bord des larmes. Débouchant dans le cloître, il demanda à un moine qui passait pourquoi ces livres précieux avaient été si honteusement dépecés. Celui-ci répondit que certains moines, désireux de gagner deux ou cinq sous, coupaient un cahier et en faisaient des petits psautiers qu'ils vendaient aux enfants, et des marges, ils faisaient des papillotes qu'ils vendaient aux femmes. Et maintenant, à homme savant, casse-toi encore la tête à faire des livres !

Benvenuto de Imola, publié par Muratori, *Antiquitates italicae medii aevi*, t. I, Arezzo, col. 1296.

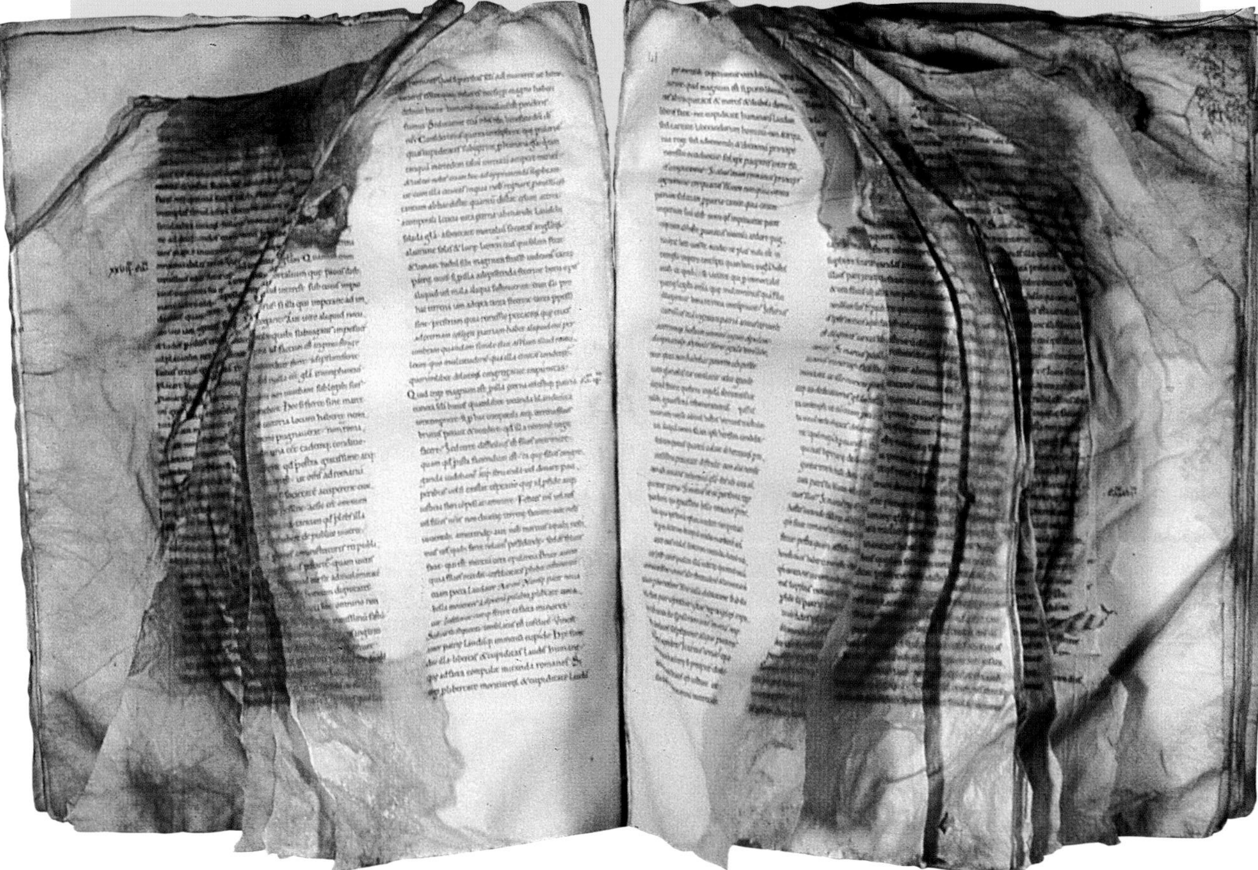

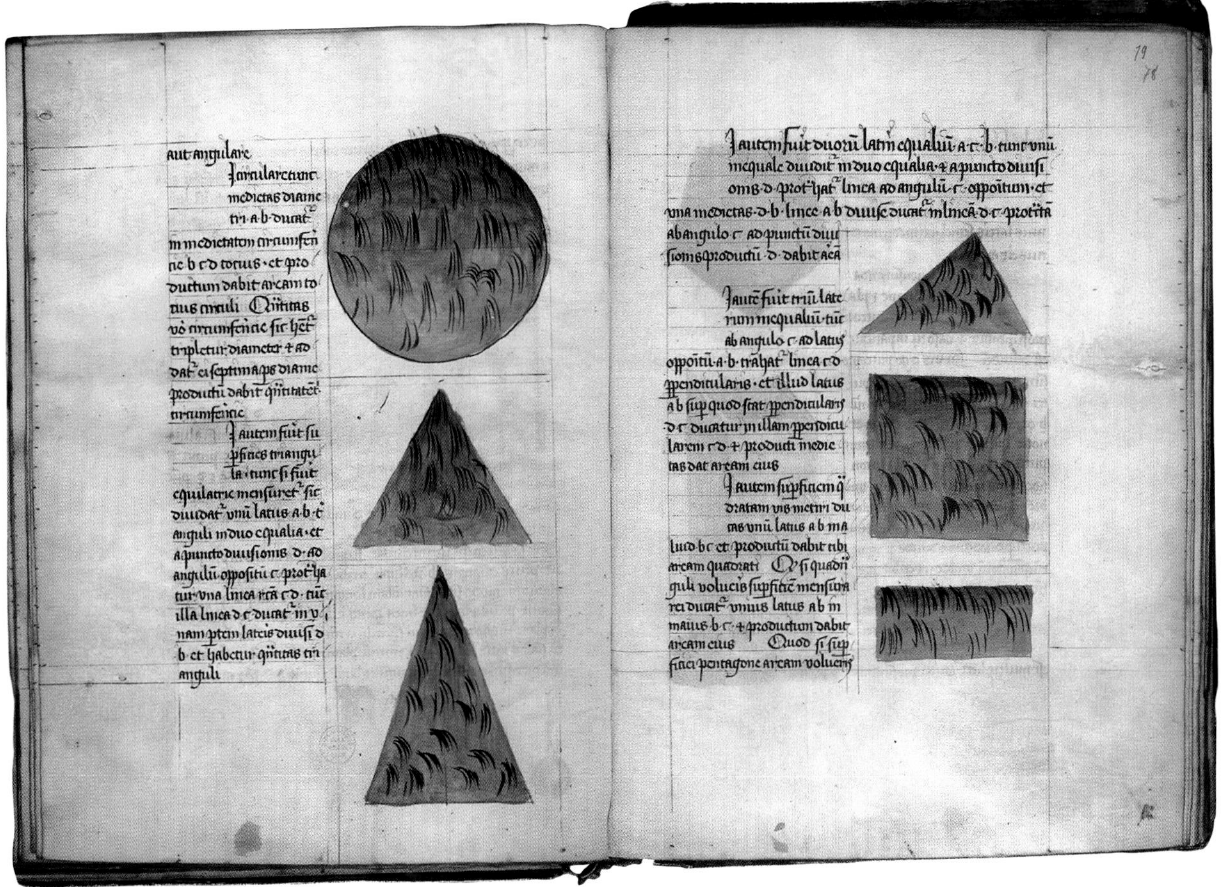

Les figures géométriques présentées de façon bucolique.
Recueil de traités d'astronomie et de mathématiques.
BM de Lyon, ms. 172, f°. 78 v°. 79. Photo BM de Lyon, Didier Nicole.

Un manuscrit en piteux état.
Saint Augustin, *La Cité de Dieu.*
BM d'Avranches, ms. 89.

Les livres et l'Université

L'essor des écoles urbaines au XIIe siècle en Occident puis la création des universités au XIIIe siècle suscitent un nouveau public de lecteurs dont les finalités ne sont plus seulement la méditation religieuse mais la volonté d'appréhender les connaissances de leur temps. Maîtres et écoliers considèrent les livres comme les principaux outils du savoir, des instruments de travail dont la possession est absolument nécessaire.

Les maîtres dispensent leurs cours aux écoliers de manière orale, mais l'Université met au programme dès le XIIIe siècle l'étude d'un certain nombre de manuels dont la lecture est obligatoire pour passer les examens. Les étudiants prennent des notes de cours ou de lectures. Les maîtres préparent leurs cours en lisant les Autorités. S'ils ne sont guère fortunés, les intellectuels du Moyen Age s'attachent à posséder les ouvrages fondamentaux. Certains parviennent à réunir une petite bibliothèque privée. Ainsi, le maître parisien Richard de Fournival, mort en 1260, possède une collection de trois cents manuscrits dont il fait la liste dans sa *Bibliomania*.

Cependant, la grande majorité des écoliers n'a pas les moyens d'acquérir des ouvrages neufs, ils doivent se rabattre sur des exemplaires d'occasion ou se contenter de recopier des manuscrits qu'ils ont empruntés.

Quelques bienfaiteurs se préoccupent donc de fournir aux étudiants des bibliothèques qui leur permettent d'accéder à la somme des connaissances de leur temps. La collection la plus connue est celle du collège, fondé par Robert de Sorbon, le confesseur du roi Louis IX en 1250, pour accueillir des étudiants pauvres se destinant aux études de théologie à l'Université de Paris. La bibliothèque du collège compte dès 1290 plus d'un millier de volumes (mille dix-sept manuscrits) et en 1338, elle est l'une des plus importantes d'Occident avec mille sept cent vingt-deux manuscrits. Ces chiffres suffisent à démontrer l'essor de la production de livres au XIIIe siècle. Aucune bibliothèque monastique ne saurait lui être comparée. La bibliothèque du collège de Robert de Sorbon est divisée en deux parties, La *libraria magna* (la grande bibliothèque), ouverte à tous les écoliers, est une bibliothèque publique où les livres sont attachés par des chaînes à des pupitres. Comme dans nos salles d'études contemporaines, ils doivent être consultés sur place. La grande salle est partagée par une allée centrale, les pupitres et les bancs sont disposés des deux côtés. On peut se faire une excellente idée de cette disposition en visitant la bibliothèque laurentienne de Florence, fondée par Côme de Médicis au XVe siècle. La *libraria parva* (la petite bibliothèque) est une petite collection dont les ouvrages peuvent être empruntés par les écoliers. Il s'agit de manuscrits possédés en double ou de textes peu utilisés. La lecture évolue, elle devient une activité individuelle et silencieuse, réservée à des professionnels du savoir, encore rares, mais beaucoup plus nombreux que les moines.

Le bibliophile anglais Richard de Bury a laissé, vers 1343-1345, un témoignage saisissant quoique un peu caricatural du comportement des étudiants fréquentant ces bibliothèques publiques.

L'apparition d'un nouveau public de maîtres et d'écoliers fait évoluer la production des manuscrits tant dans sa forme, souvent plus simple, que dans ses contenus beaucoup plus variés. Les ouvrages scientifiques, juridiques et littéraires se multiplient au XIIIe siècle. Paris et les autres villes universitaires deviennent les grands centres de création de manuscrits. Au XIVe siècle, la production du livre s'effondre en France du Nord d'environ un quart par rapport au siècle précédent. Cette crise ne correspond pas à un désintérêt des lecteurs et encore moins à un recul des clients potentiels, mais davantage aux difficultés que connaît le pays, Les crises, démographique, économique et politique, vont de pair avec les difficultés de l'Université. Il faut attendre le XVe siècle pour que, la paix revenue, la production de manuscrits ne reprenne avec toujours plus de vigueur (avec une augmentation de 30 % environ en France du Nord).

Un ouvrage doté comme il se doit d'une forte chaîne afin de dissuader les voleurs.
Fortunat, *Poèmes.*
BM d'Autun, ms. 0038.
Photo IRHT.

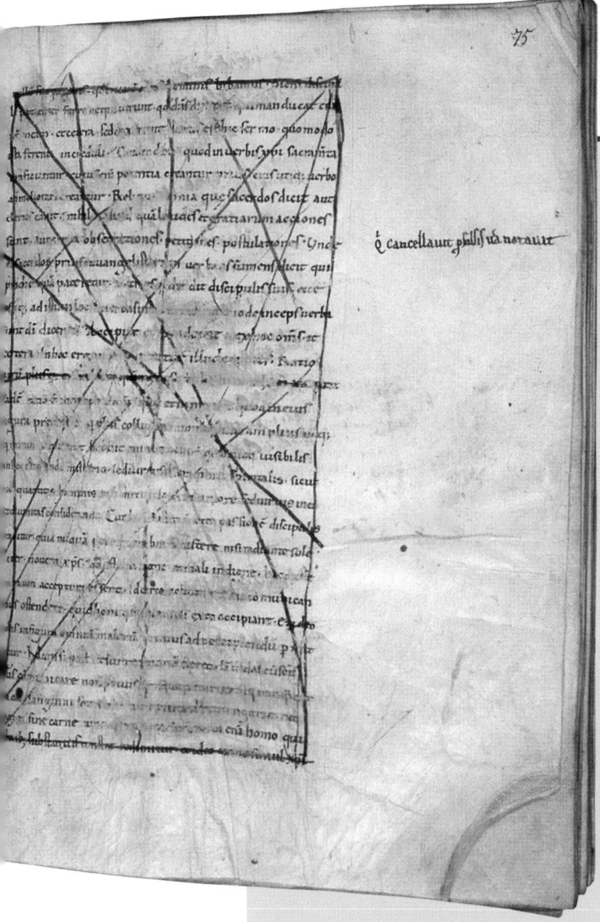

Une main indélicate a abîmé cette page.
Recueil de traités de théologie, du xe au xiie siècle.
BM d'Avranches, ms. 109, f°. 22 v°.

UN SOMBRE TABLEAU DE LA GENT ESTUDIANTINE

Il existe en effet une gent écolière fort mal élevée en général, et qui, si elle n'était pas retenue par les règlements des supérieurs, deviendrait bientôt fière de sa sotte ignorance. Ils agissent avec effronterie, soit gonflés d'orgueil et quoiqu'ils soient inexpérimentés en tout, ils jugent de tout avec aplomb.

Vous verrez peut-être un jeune écervelé, flânant nonchalamment, et tandis qu'il est transi par le froid de l'hiver, et que comprimé par la gelée, son nez humide dégoutte, ne pas daigner s'essuyer avec son mouchoir avant d'avoir humecté de sa morve honteuse le livre qui est au-dessous de lui. Plût aux dieux qu'à la place de ce manuscrit, on lui eût donné un tablier de savetier ! Il a un ongle de géant, parfumé d'une odeur puante, avec lequel il marque l'endroit d'un plaisant passage. Il distribue, à différentes places, une quantité innombrable de fétus avec les bouts en vue, de manière à ce que la paille lui rappelle ce que sa mémoire ne peut retenir. Ces fétus de paille, que le ventre du livre ne digère pas et que personne ne retire, font sortir d'abord le livre de ses joints habituels et ensuite, laissés avec insouciance dans l'oubli, finissent par se pourrir. Il n'est pas honteux de manger du fruit ou du fromage sur son livre ouvert et de promener mollement son verre tantôt sur une page tantôt sur une autre et, comme il n'a pas son aumônière à la main, il y laisse les restes de ses morceaux. Il ne cesse dans son bavardage continuel d'aboyer contre ses camarades, et tandis qu'il leur débite une foule de raisons vides de tout sens philosophique, il arrose de sa salive son livre ouvert sur ses genoux ; quoi de plus ! Aussitôt il appuie ses coudes sur le volume et, par une courte étude, attire un long sommeil ; enfin, pour réparer les plis qu'il vient de faire, il roule les marges des feuillets, au grand préjudice du livre.

Mais la pluie cesse, et déjà les fleurs apparaissent sur la terre ; alors, notre écolier, qui néglige beaucoup plus les livres qu'il ne les regarde, remplit son volume de violettes, de primevères, de roses et de feuilles ; alors il se servira de ses mains moites et humides de sueur pour tourner les feuilles ; alors il touchera de ses gants sales le blanc parchemin, et parcourra les lignes de chaque page avec son index recouvert d'un vieux cuir ; alors en sentant le dard d'une puce qui le mord, il jettera au loin le livre sacré, qui reste ouvert pendant un mois, et est ainsi tellement rempli de poussière qu'il n'obéit plus aux efforts de celui qui vient le fermer.

Il y a aussi des jeunes gens impudents auxquels on devrait défendre spécialement de toucher aux livres, et qui, lorsqu'ils ont appris à faire des lettres ornées, commencent vite à devenir les glossateurs des magnifiques volumes que l'on veut bien leur communiquer, et où se voyait autrefois une grande marge autour du texte, on aperçoit un monstrueux alphabet ou toute autre frivolité qui se présente à leur imagination et que leur pinceau cynique a la hardiesse de reproduire. Là un latiniste, là un sophiste, ici quelques scribes ignorants font montre de l'aptitude de leurs plumes, et c'est ainsi que nous voyons très fréquemment les plus beaux manuscrits perdre de leur valeur et de leur utilité…

Richard de Bury, « Philobiblion ». *Tractatus pulcherims de amore librorum*, éd. Hippolyte Cochertis, Paris, 1856, p. 144-148.

Nativité.
Missel de Jean Rolin,
xve siècle.
BM d'Autun, ms. 114, f°. 22 v°. Photo IRHT.

Les collectionneurs

Bibliothèques d'hommes d'Eglise

Au Moyen Age, les hauts dignitaires de l'Eglise, évêques ou abbés, formés dans les monastères ou les écoles urbaines, anciens élèves des facultés de droit ou de théologie, sont tout naturellement les premiers amateurs de livres à réunir des collections privées.

L'une des plus anciennes bibliothèques connues en France est celle de l'évêque de Bayeux, qui lègue en 1163 cent quarante volumes à l'abbaye normande du Bec. Ces collections privées ne font que croître et embellir au cours des siècles suivants. Les clercs cultivés, qui sont aussi de riches mécènes, ont le goût des beaux livres, qu'ils soient religieux ou profanes.

Les prêtres ont besoin d'ouvrages spécifiques afin d'accomplir leur mission. Ces livres liturgiques sont surtout les missels qui s'adaptent à la liturgie en vigueur dans le diocèse.

Le missel s'ouvre en général par un calendrier qui énumère les principales fêtes religieuses, suit le Propre du temps, c'est-à-dire l'observance des dimanches et des fêtes : il débute le premier dimanche de l'Avent, se poursuit avec le temps de Noël, le Carême, la période pascale, l'Ascension et la Fête-Dieu. Il comporte le texte de chaque messe. Le canon de la messe constitue la partie centrale du missel, souvent copiée avec une écriture plus ample et la seule à être décorée d'une ou de deux enluminures, représentant la Crucifixion ou le Christ en majesté. Vient ensuite le Propre des saints qui débute avec la Saint-André, le 30 novembre, et se poursuit par la succession des grandes fêtes universelles comme l'Annonciation, le 25 mars, ou la Saint-Michel, le 29 septembre. Des saints locaux s'interposent dans ce calendrier commun à toute la chrétienté latine. Le missel se termine parfois par des messes votives pour les voyageurs, ou pour faire venir la pluie, vient ensuite la messe des morts. Ces ouvrages liturgiques, destinés aux prêtres, sont produits en grand nombre à la fin du Moyen Age. On en conserve aujourd'hui plus de trois cent cinquante dans les bibliothèques françaises. Du manuscrit le plus modeste, destiné au curé de paroisse, au missel richement décoré, commandé par un évêque, ils peuvent satisfaire une clientèle nombreuse et diverse.

Les grands prélats sont, bien entendu, les principaux commanditaires au sein de l'Eglise. Ils souhaitent avant tout obtenir des manuscrits de bonne qualité et voir respecter les délais de livraison qu'ils imposent aux copistes et aux enlumineurs. Le 20 mars 1448, Jean de Planis promet à Jean Rolin, cardinal et évêque d'Autun, de décorer de belles miniatures un missel de grande qualité. Il est payé quinze gros pour chaque enluminure et un écu d'or pour chaque centaine de lettrines. Il doit terminer son ouvrage avant le 31 août 1450. Lorsque le cardinal meurt le 22 juin 1483, ses exécuteurs testamentaires font réaliser un inventaire des livres trouvés à son domicile parisien. Ce document permet d'envisager les goûts d'un haut prélat de la fin du Moyen Age en matière de lecture. La bibliothèque parisienne du cardinal ne compte que vingt-sept volumes, mais il possédait bien d'autres manuscrits dans ses résidences d'Autun et de Beaune. Elle comporte de

Les armes du cardinal Rolin ornent avec orgueil les marges de ses riches manuscrits.
Missel de Jean Rolin, **XVe siècle.**
BM d'Autun, ms. 114, f°. 22 v°. Photo IRHT.

nombreux ouvrages liturgiques richement enluminés, en particulier des missels décorés par un enlumineur auquel le cardinal a donné son nom, le Maître de Jean Rolin. Ils sont légués à la cathédrale d'Autun. Jean Rolin possédait aussi de nombreux ouvrages en latin, des manuscrits et déjà quelques imprimés. Le choix de ses livres permet d'évoquer sa culture et ses penchants. Il s'agit surtout d'ouvrages de morale et de philosophie chrétiennes, de chroniques historiques et de quelques traités de médecine à destination du grand public. Leurs auteurs n'ont rien de bien singulier et se retrouvent dans toutes les collections ecclésiastiques de l'époque ; par contre, le cardinal semble avoir été peu sensible aux derniers développements de la littérature humaniste qui fleurit en France comme en Italie à la fin du XVe siècle. Sa collection est assez différente par son contenu des bibliothèques des membres de la haute noblesse qu'il côtoie à la cour des ducs de Bourgogne.

Les premières bibliothèques des laïcs

Si les livres sont rares dans les demeures aristocratiques pendant les premiers siècles du Moyen Age, il n'en demeure pas moins que la vision de chevaliers illettrés et barbares, dénués de culture, trop longtemps rapportée par les historiens du XIXe siècle, est largement inexacte. Dès l'époque de Charlemagne, nombre d'aristocrates qui fréquentent la cour de l'empereur sont des hommes et des femmes cultivés qui ont le goût des livres et de la lecture. L'empereur lui-même s'y adonne à ses moments perdus.

Les chercheurs ont permis de redécouvrir la renaissance culturelle qui a marqué la période carolingienne. Ce renouveau des lettres s'incarne plus particulièrement dans un objet, le livre, et dans une écriture, la caroline. Cette calligraphie ronde et agréable à lire va de pair avec le renouveau des *scriptoria*. L'empereur commande en personne de précieux manuscrits. Le premier livre, considéré comme écrit en caroline, est l'Evangéliaire de Godescalc (BNF, ms. nouvelles acquisitions 783) commandé par Charlemagne au scribe Godescalc le 7 octobre 781 et achevé le 30 avril 783. Il s'agit d'un manuscrit de cour, richement enluminé, auquel on peut rattacher l'Evangile de Saint-Riquier, conservé à la bibliothèque municipale d'Abbeville (Abbeville, BM, ms. 4) offerte par Charlemagne à son proche Angilbert, abbé de Saint-Riquier. Louis le Pieux, fils de Charlemagne, est lui aussi un généreux donateur de manuscrits aux abbayes de son empire. Ces ouvrages religieux, réalisés dans l'atelier impérial d'Aix-la-Chapelle, sont tous somptueusement décorés, écrits parfois en caractères d'or sur fond pourpre, une technique remontant à l'antiquité romaine, encore présente à Constantinople, qui symbolise la culture impériale.

L'exemple des empereurs carolingiens suscite des vocations. Les aristocrates qui fréquentent leur palais se lancent avec ardeur à la recherche de manuscrits précieux, les font recopier par les moines et les lèguent à leurs proches ou aux institutions religieuses qu'ils protègent. Evrard, duc de Frioul, laisse déjà à sa mort, en 867, quelques dizaines de manuscrits. Psautiers, bréviaires et livres d'Heures font partie des livres que les familles de la noblesse se lèguent de génération en génération. Si ces ouvrages sont avant tout des manuscrits liturgiques et religieux, l'essor de la littérature profane, à partir du XIIe siècle, fait entrer dans les bibliothèques des laïcs des manuscrits bien différents de ceux que possèdent les moines ou les maîtres et les écoliers.

Les goûts de l'aristocratie la portent davantage vers la littérature historique ou le roman. Parmi ces lecteurs avertis, il convient d'évoquer rapidement le comte de Champagne Henri le Libéral (1127-1181) et sa femme Marie, morte en 1198, fille

***Psautier de Saint Louis,* XIIIe siècle.**
BnF, ms. lat. 10525, f°. 23 v°.

d'Aliénor d'Aquitaine, qui ont protégé les auteurs les plus prolixes de leur temps, en particulier Chrétien de Troyes (v. 1140-v. 1190), auteur de *Lancelot,* d'*Yvain* et de *Perceval.*

La littérature chevaleresque connaît à partir du XIIIe siècle un engouement réel qui se traduit par l'apparition de manuscrits copiés en langue vernaculaire et souvent imagés. La bibliothèque municipale de Rennes possède de nos jours l'une des plus anciennes versions illustrées des aventures de Lancelot (ms. 255), un manuscrit rédigé en français vers 1220, sans doute pour un proche de la cour royale. Les romans antiques, les romans arthuriens et les chansons de geste qui glorifient Charlemagne ou Rolland figurent parmi les collections des aristocrates, hommes et femmes. Le *Roman de la rose,* composé par Guillaume de Lorris vers 1230-1235 est un long poème allégorique et courtois. Achevé par Jean de Meung à partir de 1268, il remporte un énorme succès auprès du public laïque. On conserve encore de nos jours quelque deux mille manuscrits du *Roman de la rose*, copiés au cours des deux derniers siècles du Moyen Age.

Lancelot du Lac,
XIIIe siècle.
BM de Rennes, ms. 255.

Les romans arthuriens connaissent un grand succès auprès du public aristocratique.
L'Estoire des Grall,
XIIIe siècle.
BM de Rennes, ms. 255.

L'enrichissement de la bourgeoisie lui permet également d'accéder à ce type de littérature à la fin du Moyen Age. Cependant, c'est grâce à l'invention de l'imprimerie qu'elle pénètre un public beaucoup plus vaste. Si les familles nobles ou bourgeoises ne possèdent dans leur grande majorité que quelques manuscrits considérés comme des biens précieux et toujours mentionnés avec soin dans les testaments, la fin du Moyen Age voit aussi la naissance de figures de grands collectionneurs laïques dont les bibliothèques peuvent désormais rivaliser avec celles des monastères ou des collèges.

Collectionneurs et bibliophiles

C'est surtout à partir du règne de Charles V, grand amateur de livres, que la passion bibliophile s'empare de la famille royale française, aucune dynastie d'Occident ne pouvant alors rivaliser par ses collections avec les Capétiens.

Charles V (1364-1380), décrit par Christine de Pizan comme un roi sage et cultivé, est un passionné de livres. Il a amassé une grande collection de manuscrits qu'il fait conserver dans la tour de la fauconnerie du Louvre. Hérités, achetés ou commandés, les manuscrits du roi offrent une grande diversité de sujets : religieux, mais aussi politiques, historiques et moraux. A sa mort, un inventaire en est dressé qui ne répertorie pas moins de sept cents volumes, un chiffre considérable pour une bibliothèque privée à l'époque. Cette passion des

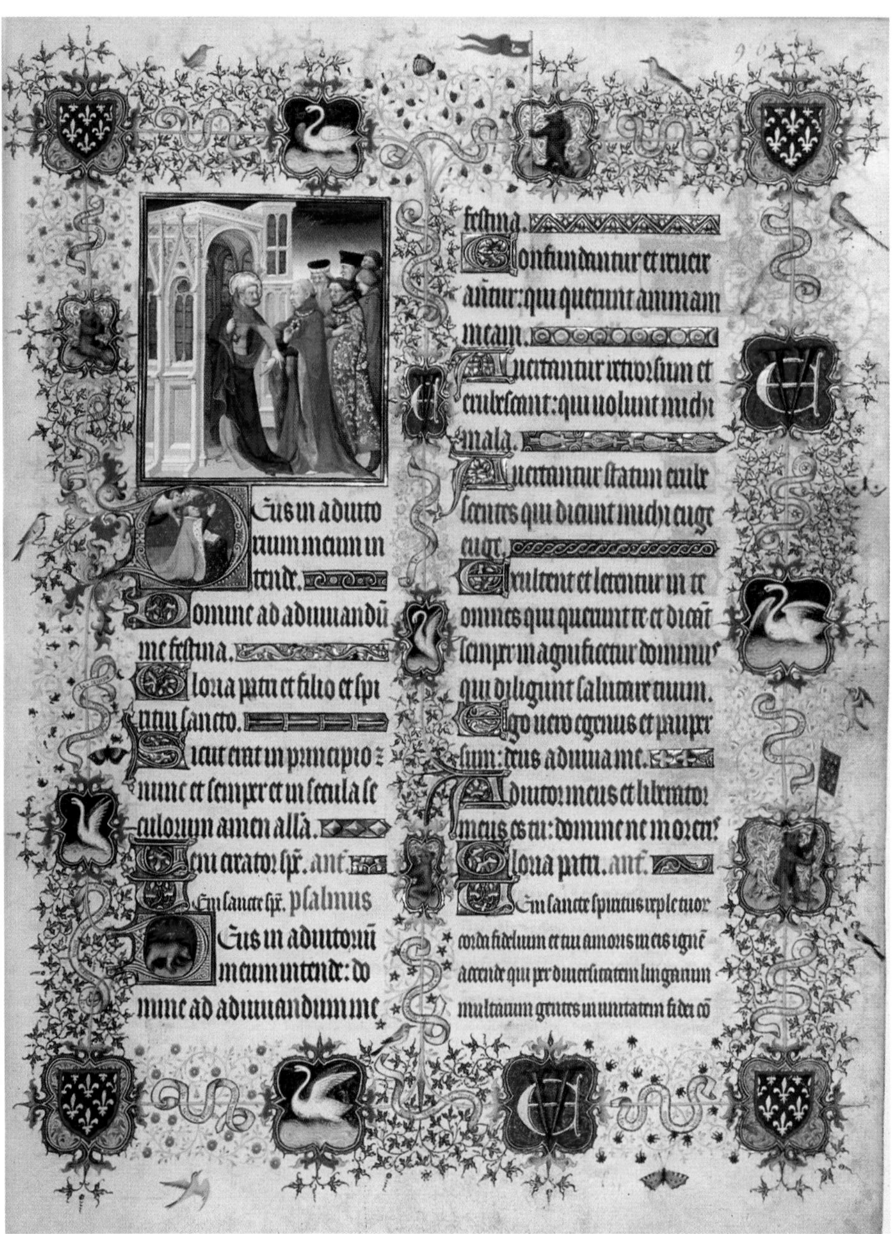

Cette page évoque non sans ostentation les nombreuses armoiries et emblèmes du fastueux duc de Berry.
Les Grandes heures de Jean de Berry,
XVe siècle.
BnF, ms. lat. 919, f°. 96.

Ce puissant seigneur, proche des rois de France, était aussi un collectionneur de livres passionné.
Heures de Louis de Laval, enluminure de Jean Colombe, xve siècle.
BnF, ms. lat. 920, f°. 193 v°.

beaux livres est partagée par ses frères : le duc d'Anjou, Louis Ier, et surtout Philippe le Hardi, duc de Bourgogne et Jean, duc de Berry. Des inventaires réalisés à la mort de ces personnages permettent de connaître l'étendue et la diversité de leurs bibliothèques.

Les princes commandent directement des livres aux copistes et aux enlumineurs, mais ils peuvent aussi s'adresser à des libraires parisiens ou à des marchands, spécialisés dans le commerce des objets de luxe. Dino Rapondi vend à Philippe le Hardi et à Jean sans Peur huit manuscrits richement enluminés qui représentent bien les goûts de la clientèle aristocratique en matière de lecture : une Bible, une *Légende dorée*, une encyclopédie médiévale, le *Livre de la propriété des choses* de Barthelemy l'Anglais, un ouvrage de Boccace, *Des clères et nobles femmes*, trois manuscrits des *Fleurs des histoires de la Terre d'Orient* de Hayton, des récits de voyages fabuleux en Orient, un *Lancelot du lac* et un manuscrit de l'œuvre de Tite-Live. Tous sont richement peints. Très chers, leurs prix oscillent entre cent et six cents francs.

La collection de Philippe le Bon (1419-1467), duc de Bourgogne, héritier de celle de son grand-père Philippe le Hardi et de son père Jean le Bon, enrichie par de nombreuses commandes personnelles, ne comporte pas moins de huit cents à neuf cents manuscrits conservés à Lille. Presque tous les ouvrages sont rédigés en français à l'exception des ouvrages liturgiques : on y trouve des romans de chevalerie, des chroniques, des livres de dévotion, des traductions d'auteurs classiques ou d'ouvrages célèbres de théologie médiévale.

Dans ces collections princières, le contenu du livre joue un rôle, mais c'est aussi l'apparence du manuscrit qui doit révéler la richesse et la puissance du propriétaire. Véritables bibliophiles, les princes capétiens s'attachent volontiers à l'aspect extérieur du manuscrit, recouvert de soie ou de

velours, doté de fermoirs d'or et d'argent, et, bien entendu, à sa décoration peinte. Ces collectionneurs fastueux privilégient les beaux livres, de grand format et richement enluminés. Ils les ont fait décorer par les plus grands peintres de leur temps, mais ils s'attachent aussi à conserver des ouvrages anciens, déjà renommés pour leur qualité ou leur origine.

Jean de Berry collectionne les manuscrits venus d'Italie, qualifiés d'« ouvrages de Lombardie » ou d'« ouvrages romains ». Charles V conserve précieusement les manuscrits qui ont appartenu à ses prédécesseurs, en particulier à Saint Louis. Ces bibliophiles sont attachés à l'objet « livre » comme à n'importe laquelle de leurs pièces d'orfèvrerie. L'inventaire de Charles V décrit ainsi un bréviaire conservé au château de Vincennes : « Un grant breviaire entier, très noblement escript et très noblement enluminé ». Les exécuteurs testamentaires évoquent parfois la valeur de ces ouvrages qui atteignent souvent des sommes importantes.

La recherche du manuscrit le plus original possible amène parfois à privilégier les

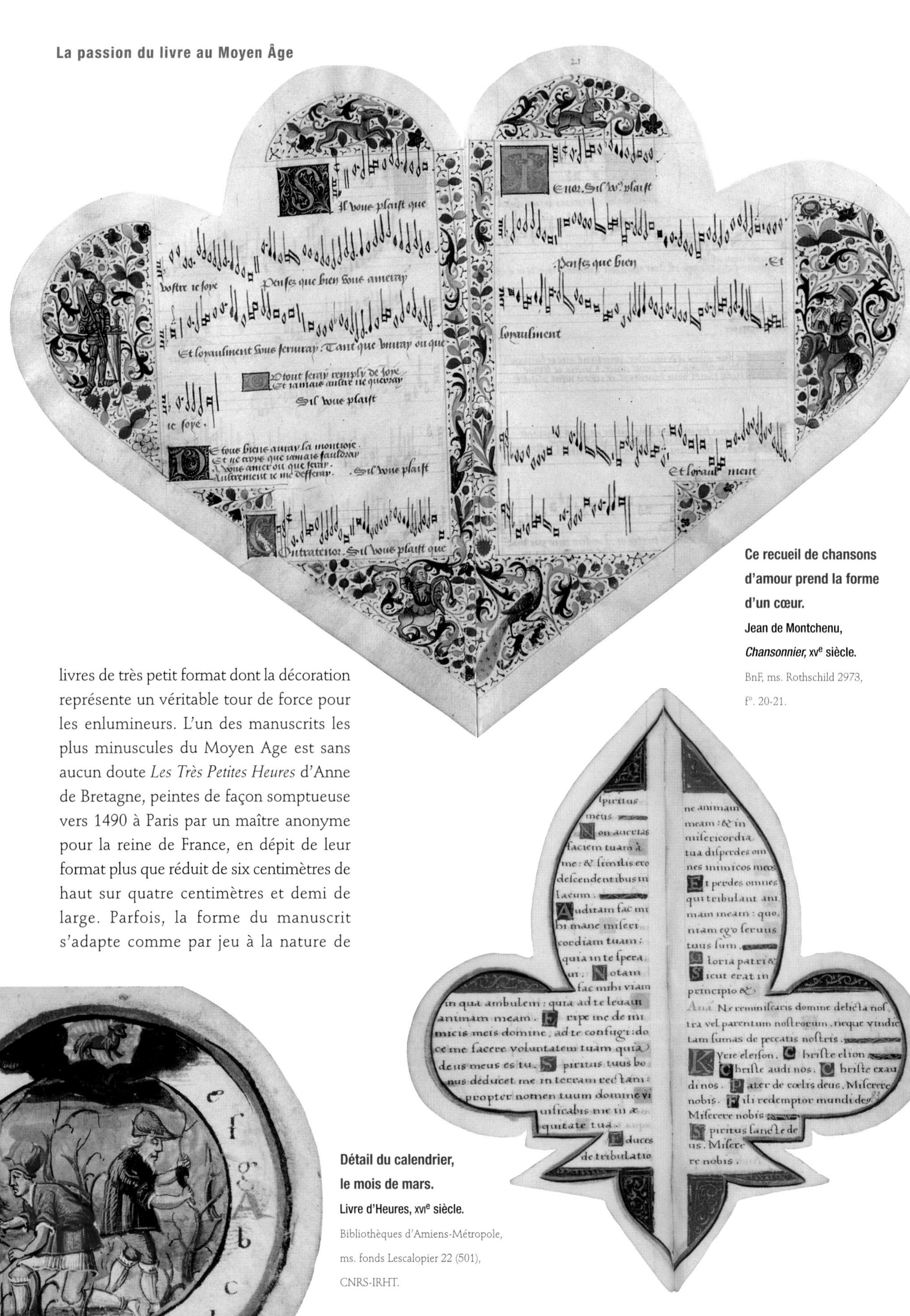

Ce recueil de chansons d'amour prend la forme d'un cœur.
Jean de Montchenu, *Chansonnier*, XVe siècle.
BnF, ms. Rothschild 2973, f°. 20-21.

livres de très petit format dont la décoration représente un véritable tour de force pour les enlumineurs. L'un des manuscrits les plus minuscules du Moyen Age est sans aucun doute *Les Très Petites Heures* d'Anne de Bretagne, peintes de façon somptueuse vers 1490 à Paris par un maître anonyme pour la reine de France, en dépit de leur format plus que réduit de six centimètres de haut sur quatre centimètres et demi de large. Parfois, la forme du manuscrit s'adapte comme par jeu à la nature de

Détail du calendrier, le mois de mars.
Livre d'Heures, XVIe siècle.
Bibliothèques d'Amiens-Métropole, ms. fonds Lescalopier 22 (501), CNRS-IRHT.

La Visitation.
Livre d'Heures,
XVIe siècle.
Bibliothèques d'Amiens-Métropole, ms. fonds Lescalopier 22 (501), CNRS-IRHT.

La fleur de lys prête sa forme à ce manuscrit de luxe de la Renaissance.
Livre d'Heures, XVIe siècle.
Bibliothèques d'Amiens-Métropole, ms. fonds Lescalopier 22 (501), CNRS-IRHT.

l'ouvrage ou à celle de son destinataire. Le *Chansonnier* de Jean de Montchenu, un recueil de chansons lyriques françaises et italiennes, composé vers 1460-1476, et aujourd'hui conservé à la Bibliothèque nationale, adopte la forme symbolique d'un cœur, ce qui en fait l'un des manuscrits les plus étonnants de la fin du Moyen Age Un autre ouvrage, réalisé à Amiens en 1555 pour le roi de France Henri II, prend la forme d'une fleur de lys.

L'Arrestation du Christ.
Livre d'Heures, XVIe siècle.
Bibliothèques d'Amiens-Métropole, ms. fonds Lescalopier 22 (501), CNRS-IRHT.

Il existe cependant, en cette extrême fin du Moyen Age, des amateurs de livres qui sont davantage attachés au fond qu'à la forme. Ce sont les premiers humanistes italiens et français, également grands collectionneurs de manuscrits. Le premier fut sans aucun doute le poète d'origine florentine Pétrarque (1304-1374), qui, grâce à ses voyages incessants dans toute l'Europe, parvint à réunir une collection unique de manuscrits, essentiellement composée de classiques latins. Sa bibliothèque, dispersée après sa mort, a été en partie reconstituée de nos jours grâce à ses écrits et les historiens de la littérature sont parvenus à identifier quarante-quatre manuscrits ayant appartenu au grand poète. Collectionneur d'une grande exigence, Pétrarque n'est guère satisfait de la production des scribes de son temps. Dans l'un de ses ouvrages, il se plaint du travail routinier des scribes du XIVe siècle qui ne correspond pas à ses exigences nouvelles d'humaniste.

Le Florentin Boccace (1313-1375), contemporain et proche de Pétrarque, dont les œuvres sont rapidement traduites en français, en particulier son *Decameron*, et prennent place dans les collections princières, imite son ami et s'attache lui aussi à retrouver des ouvrages anciens. Cette passion bibliophile se poursuit à Florence sous l'égide du chancelier de la République, Coluccio Salutati, qui dépêche, avant la conquête de la ville par les Turcs, des envoyés à Constantinople pour y découvrir des manuscrits grecs.

Cet amour des livres, toujours copiés et recopiés, provoque une véritable industrialisation de la production des livres dans la cité des humanistes. Le libraire Vespasiano de Bisticci y emploie simultanément de 1421 à 1498 quarante-cinq copistes afin d'accélérer la copie des ouvrages et de satisfaire un public de lecteurs toujours plus nombreux et plus exigeants. Les humanistes, dans leur quête de l'Antiquité, se lancent à la recherche des manuscrits anciens, dormant au sein des vieilles bibliothèques monastiques. Poggio Bracciolini (1380-1459), secrétaire pontifical et humaniste, raconte dans une de ses lettres comment, participant au concile de Constance entre 1414 et 1417, il en a profité pour visiter tous les monastères de la région et à découvert dans les fonds de l'abbaye de Cluny de nombreux textes antiques tout à fait oubliés : une dizaine de discours de Cicéron, des œuvres de Columelle, Ammien Marcellin, Lucrèce, etc.

L'ATTRAIT DES LIVRES GRECS
Lettre du 26 mars 1396 à Jacopo Scarperia

Voilà maintenant ce qu'il faut que tu fasses. D'abord insister auprès de Manuel (Chrysoloras, érudit grec que le chancelier désire inviter à Florence) ; tu sais que tu peux le faire sans altérer la vérité. Et puis, pour combler notre attente et notre faim, ardentes au-delà de toute expression, arriver aussi vite que possible. Fais en sorte que ne manquent aucun historien, aucun poète, aucun traité sur les fables poétiques. Fais-nous avoir des règles de versification. Je voudrais que tu apportes avec toi tout Platon, et tous les vocabulaires disponibles, indispensables pour résoudre les difficultés de compréhension. Achète-moi un Plutarque, tous les écrits possibles de Plutarque, et un Homère sur parchemin en grands caractères. Si tu trouves une mythologie, achète-la.

Coluccio Salutati, *Epistolario*, éd. Novati, t. III, Rome, 1896, p. 131.

LES CRITIQUES D'UN BIBLIOPHILE

Afin que l'intégrité du texte des auteurs soit tout à fait immuable, qui remédiera à l'ignorance et à la paresse des scribes, ignorance et paresse qui corrompent et embrouillent tout ? Cette crainte a déjà, je le suppose, dissuadé beaucoup d'esprits très distingués d'entreprendre des œuvres de grande envergure. De cette situation pâtit à bon droit notre époque veule, tout occupée de cuisine, insoucieuse de culture, et qui soumet à un examen les cuistots, non les copistes. Aussi, qui aura appris à peindre quelque chose sur le parchemin et à agiter une plume de la main sera considéré comme un scribe, alors qu'il est ignorant de toute science, incapable d'effort mental et dépourvu de toute habileté technique.

Pétrarque, *De remediis utriusque fortunae*, Lib. I, dial. 43.

Au retour de la bataille, Jephté rencontre sa fille.
Psautier de Saint Louis, XIIIe siècle.
BnF, ms. lat. 10525, f°. 53 v°.

La tentation du vol

Objet précieux et rare, le livre est menacé de destruction mais plus encore de vol. Les cas sont nombreux de moines ou d'écoliers qui succombent à la tentation et s'emparent d'un manuscrit ou de quelques feuillets, espérant ainsi s'enrichir. Les bibliothèques universitaires parent à ce danger en attachant les livres par de lourdes chaînes mais ces précautions ne suffisent pas toujours. De nombreuses bibliothèques sont mal entretenues, à peine surveillées et ne disposent pas d'inventaire ; ainsi le larcin passe complètement inaperçu. Cette pratique est d'ailleurs ancienne, comme l'indique un épisode des *Miracles de saint Hubert,* raconté dans une chronique rédigée à la fin du XIe siècle.

Souvent, le mauvais exemple vient d'en haut. Ainsi, de 1464 à 1476, Jean Jouffroi, abbé de Saint-Denis, dilapide l'une des plus riches bibliothèques monastiques de France. Quelques précautions paraissent dérisoires face aux dangers encourus.

Au début du Moyen Age, on inscrit le nom du propriétaire et une formule menaçante contre un éventuel voleur sur la première page du manuscrit. Une Bible du milieu du XIIIe siècle ayant appartenu à l'abbaye de Saint-Victor de Paris porte sur son premier feuillet cet ex-libris : « Ce livre appartient à Saint-Victor de Paris. Qui le volera ou le cachera ou effacera cette indication, qu'il soit anathème, amen. Cette bibliothèque, c'est Blanche (de Castille), illustre reine de France, mère du roi saint Louis, qui l'a donnée à l'église Saint-Victor de Paris. » Plus tard, on devient plus réaliste, les menaces se font plus terrestres, utilisant des formules comme « Pendu soit qui l'emblera » ou bien, faute de mieux, l'on promet une récompense à celui qui ramènera le manuscrit perdu.

LE VOL D'UN PRÉCIEUX PSAUTIER

Que rappeler au sujet de la dispersion ou de la perte des livres ? Un psautier, écrit en lettres d'or, qui avait appartenu à l'empereur Louis, rehaussé de son effigie en frontispice, avait été vendu à Toul, comme s'il eut été plus facilement caché dans une région étrangère. Cependant, la volonté divine restitua ce document à son église de la manière suivante :
La mère du futur pape Léon IX (1049-1054), ayant trouvé le manuscrit exposé en vente, l'acheta et le donna à son fils, appelé alors Brunon, afin qu'il y apprît les psaumes. Mais alors qu'il lisait convenablement dans n'importe quel autre psautier et restituait facilement ce qu'il apprenait, il commettait tant de fautes en lisant dans celui-là qu'il semblait vouloir abandonner l'effort de la lecture par excès d'ennui. En effet, le Saint Esprit dont cet enfant était le futur vase d'élection ne voulait pas qu'il fût souillé par le moindre contact sacrilège, fût-ce à son insu. La mère s'émerveillait de la répugnance qu'éprouvait son fils à l'égard de ce psautier, lorsqu'elle apprit, par la rumeur publique, qu'il appartenait à l'abbaye de Saint-Hubert et que le vol avait été publiquement dénoncé, par des anathèmes répétés, dans plusieurs régions. Sans tarder, elle se hâta vers le monastère, y amena son enfant et restitua le psautier à l'église abbatiale, en demandant humblement l'absolution pour son ignorance. Elle offrit d'ailleurs en réparation un sacramentaire, qui, plus tard, fut donné à l'église de Givet, possession de Saint-Hubert.
Cantatorium sive Chronicon Sancti Huberti, éd. Karl Hanquet, Bruxelles, 1906, p. 52-53.

QUELS LIVRES, POUR QUELS LECTEURS ?

Posséder ou emprunter un livre, le tenir entre ses mains, tourner machinalement les pages au fil de sa lecture, tous ces gestes que notre époque considère comme banals constituent des actes rares, presque solennels, réservés à quelques privilégiés du savoir ou de la fortune au Moyen Age. La religion chrétienne a donné naissance à une civilisation du livre qui place cet objet dans une position presque sacrée. La lecture jouit alors d'une connotation positive, même si elle est réservée à quelques-uns. De la récitation collective des moines à la méditation silencieuse de l'écolier ou du maître, les lecteurs du Moyen Age ne recherchent pas les mêmes livres et n'ont pas la même approche envers ces fabuleux instruments d'édification, de savoir ou de plaisir.

De la lecture collective à la lecture silencieuse

Rares sont les hommes et les femmes qui savent lire au début du Moyen Age. S'il est tout à fait impossible de dresser pour les premiers siècles de cette époque des cartes d'alphabétisation, les deux derniers siècles de la période médiévale laissent entrevoir quelques données plus précises. Disposant de sources précieuses, les historiens anglais ont pu estimer que vers 1450-1500, environ 10 % de la population de leur pays possède la lecture, avec de forts contrastes entre les hommes et les femmes, toujours moins alphabétisées, ainsi qu'entre les zones rurales et urbaines où les enfants de milieux même modestes peuvent avoir accès à la lecture dans le cadre de l'enseignement des petites écoles. Ainsi, on estime qu'à Londres, la moitié des hommes adultes sait lire.

Une vision excessive a longtemps persisté à propos de « temps obscurs » où la culture était réservée à quelques moines, cloîtrés dans leurs abbayes. Une grande masse d'illettrés, nobles et paysans, aurait ainsi été dénuée de tout savoir, tenue à l'écart des connaissances les plus élémentaires. C'est une interprétation assez erronée. Elle omet un fait majeur, celui de la lecture orale et collective.

En effet, deux pratiques de la lecture cohabitent pendant toute la période médiévale : la lecture orale et la silencieuse. La première est destinée aux illettrés, la seconde est pratiquée par les clercs et les érudits. Les moines utilisent la lecture silencieuse et individuelle afin de davantage se pénétrer du texte sacré. La lecture à voix basse du clerc fait partie de sa démarche méditative. Elle permet aussi la mémorisation. Elle s'enrichit

La jeune duchesse Marie médite sur son livre d'Heures.
Heures de Marie de Bourgogne, **XVe siècle.**
Bibliothèque nationale d'Autriche, Bildarchiv. Cod. 1857, f°. 14 v°.

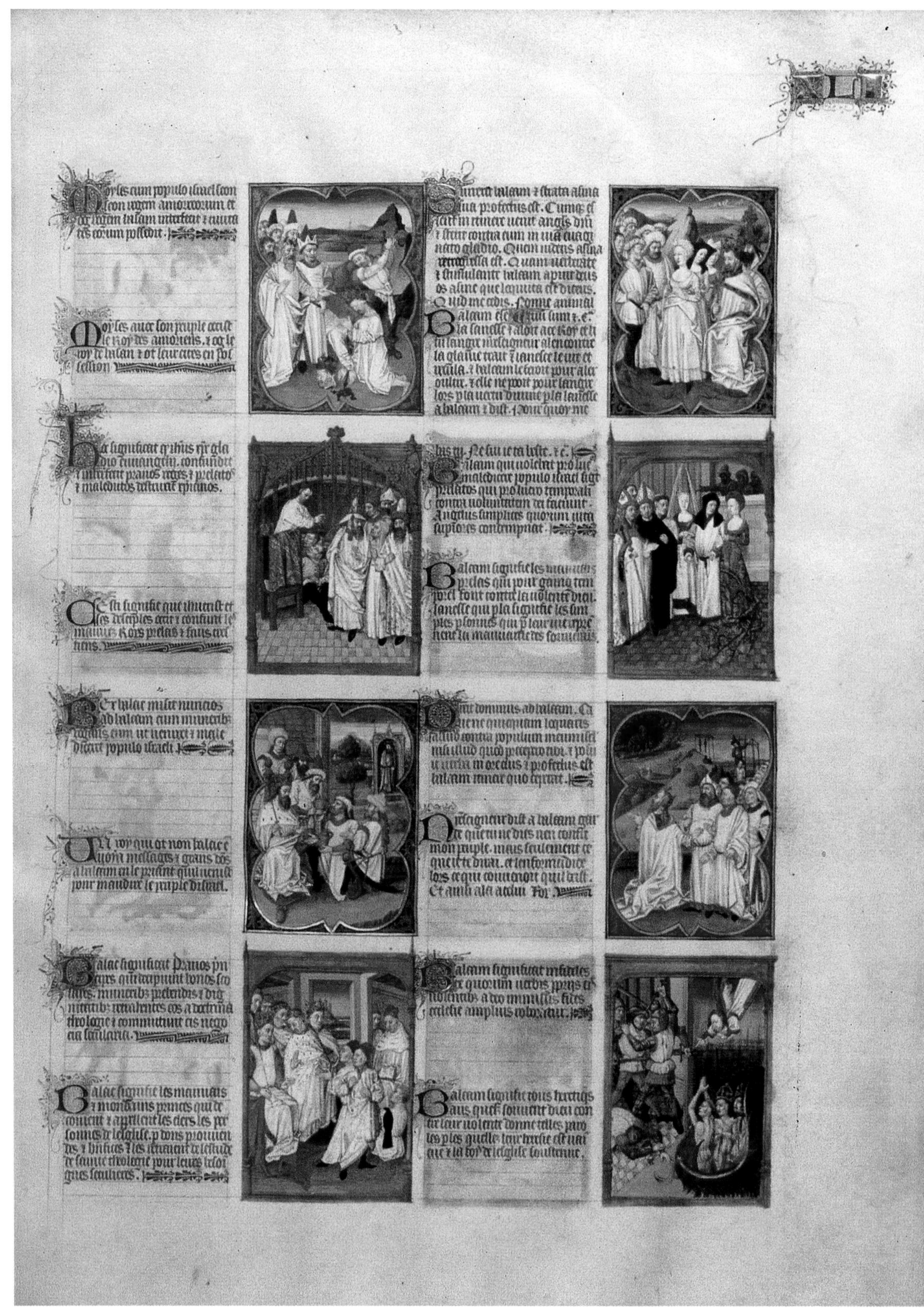

Le texte de la Bible s'accompagne de petites vignettes illustratives.
Bible moralisée,
XVe siècle.
BnF, ms. fr. 166, f°. 41.

de la lecture à haute voix, récitée à l'occasion des repas pris dans le monastère. La lecture silencieuse change de finalité dans les écoles où elle devient un instrument du savoir universitaire. Cependant, la connaissance n'est pas inaccessible aux illettrés qui ont développé des dons aujourd'hui sous-estimés, en particulier celui de la mémoire.

LE COMTE BAUDOIN DE GUINES, UN ÉRUDIT ET UN ILLETTRÉ

Il s'était attaché à l'étude de toutes les sciences avec avidité. Il n'était pourtant pas capable de tout retenir par cœur. Aussi, le comte, pendant qu'il était à la tête de la seigneurie d'Ardres, fit-il traduire par un maître très érudit, Landri de Waben, du latin en langue romane, le Cantique des Cantiques, à la lettre et dans son sens spirituel pour pouvoir en comprendre et en goûter la force mystique. Il se faisait lire cette version très souvent. Il avait étudié avec attention un grand nombre d'Evangiles surtout ceux du dimanche, avec les sermons correspondants, une vie de saint Antoine, père des moines, composée par un nommé Alfred. Il se fit traduire par maître Godefroy, un homme très érudit, du latin en langue romane, qu'il connaissait bien, la plus grande partie d'un ouvrage de physique. Quant au livre de Solin, qui traite de la nature du point de vue physique autant que philosophique, il le fit traduire, qui ne le sait, dans une version digne de foi, du latin en langue romane qu'il connaissait parfaitement, par maître Simon de Boulogne, le vénérable père de tous les habitants de Guines, au prix d'un travail acharné. Il le fit ensuite présenter et expliquer en public pour pouvoir en comprendre le sens et en faire son profit car il en avait attendu longuement le bienfaisant enseignement.
Lambert d'Ardres, *Histoire des comtes de Guines.*

L'oral est un instrument majeur de l'éducation. L'exemple du comte Baudoin de Guines, rapporté par le chroniqueur Lambert d'Ardres, son contemporain (entre 1194 et 1216), est particulièrement significatif de l'importance de ces séances de lecture collective où l'illettré peut glaner quelques connaissances. Si l'on en croit Lambert, qui l'a assidûment fréquenté, le comte Baudoin, qui règne sur une petite cour du nord de la France, est tout à fait illettré. Il tient tout son savoir de l'oralité. Sa langue maternelle est le flamand, mais il étudie la langue romane afin de comprendre les érudits de son temps. Ce seigneur cultivé utilise sa mémoire pour enrichir sa culture et développe un savoir remarqué par ses contemporains tant en matière de religion, de littérature que de science. Les hommes d'Eglise, qui méprisent son statut d'illettré, s'étonnent de sa science et s'exclament, selon Lambert : « Quel est cet homme que nous en fassions la louange ? Il dit des choses admirables. Mais comment peut-il savoir les lettres puisqu'il n'a rien appris ? » Lambert d'Ardres nous donne la solution à cette question : « C'est pour cette raison qu'il retenait auprès de lui des clercs et des maîtres, qu'il les interrogeait sur tout et les écoutait attentivement. »

Vers le milieu du XIIe siècle, l'apparition du roman en vers, écrit en langue vulgaire et destiné à être lu à haute voix à la cour d'un seigneur, exprime bien le désir de lecture de la noblesse. L'alphabétisation se répand alors dans les familles aristocratiques aussi bien chez les filles que les garçons. La création de romans en prose au XIIIe siècle correspond d'ailleurs à ce développement de la lecture individuelle et silencieuse des nobles. C'est au même moment que les chansons des troubadours et des trouvères sont mises par écrit. Les lieux de la lecture évoluent : la chambre, le cabinet privé ou le jardin remplacent le cloître et le monastère.

Les livres des moines

Les monastères demeurent les principaux centres de production et de consommation des manuscrits du début du Moyen Age au XIIe siècle. A l'époque carolingienne, les grandes abbayes royales de Saint-Denis, de Fleury-sur-Loire, de Saint-Remi de Reims, de Saint-Martin de Tours ou encore de Saint-Médard de Soissons possèdent de riches bibliothèques, constituées par des ouvrages copiés dans leurs *scriptoria*.

A droite

Les évangéliaires sont souvent illustrés des portraits des quatre évangélistes.

Evangéliaire de Marbach-Schwarzenthann,

XIIe siècle.

BM de Laon, ms. 550.

Ci-dessous

Ils offrent parfois aussi au lecteur des scènes de la Vie du Christ.

Evangéliaire de Marbach-Schwarzenthann,

XIIe siècle.

BM de Laon, ms. 550.

Les rares catalogues conservés nous permettent de connaître les lectures favorites des moines. Ils mettent en avant la présence dans les collections monastiques de bibles monumentales en plusieurs volumes, de livres glosés extraits de la Bible, des œuvres majeures des Pères de l'Eglise : saint Augustin, saint Ambroise de Milan, saint Grégoire le Grand, saint Jérôme et Origène.

Chaque communauté doit d'ailleurs disposer d'un minimum de manuscrits afin de pouvoir assurer le service divin. Parmi les textes nécessaires, on trouve les Evangiles, le sacramentaire, le missel, le psautier, l'antiphonaire, le lectionnaire et le martyrologe.

Le texte le plus copié par les moines est celui des Evangiles, qui s'accompagne parfois des psaumes. L'évangéliaire présente différents extraits des Evangiles, copiés selon l'ordre de l'année liturgique. Les manuscrits s'ouvrent sur une double page comportant la table des canons, mise en place par Eusèbe de Césarée au début du IVe siècle ; elle met en relief les passages concordants dans chacun des Evangiles. Le sacramentaire fait aussi partie des manuscrits indispensables à la vie liturgique de la

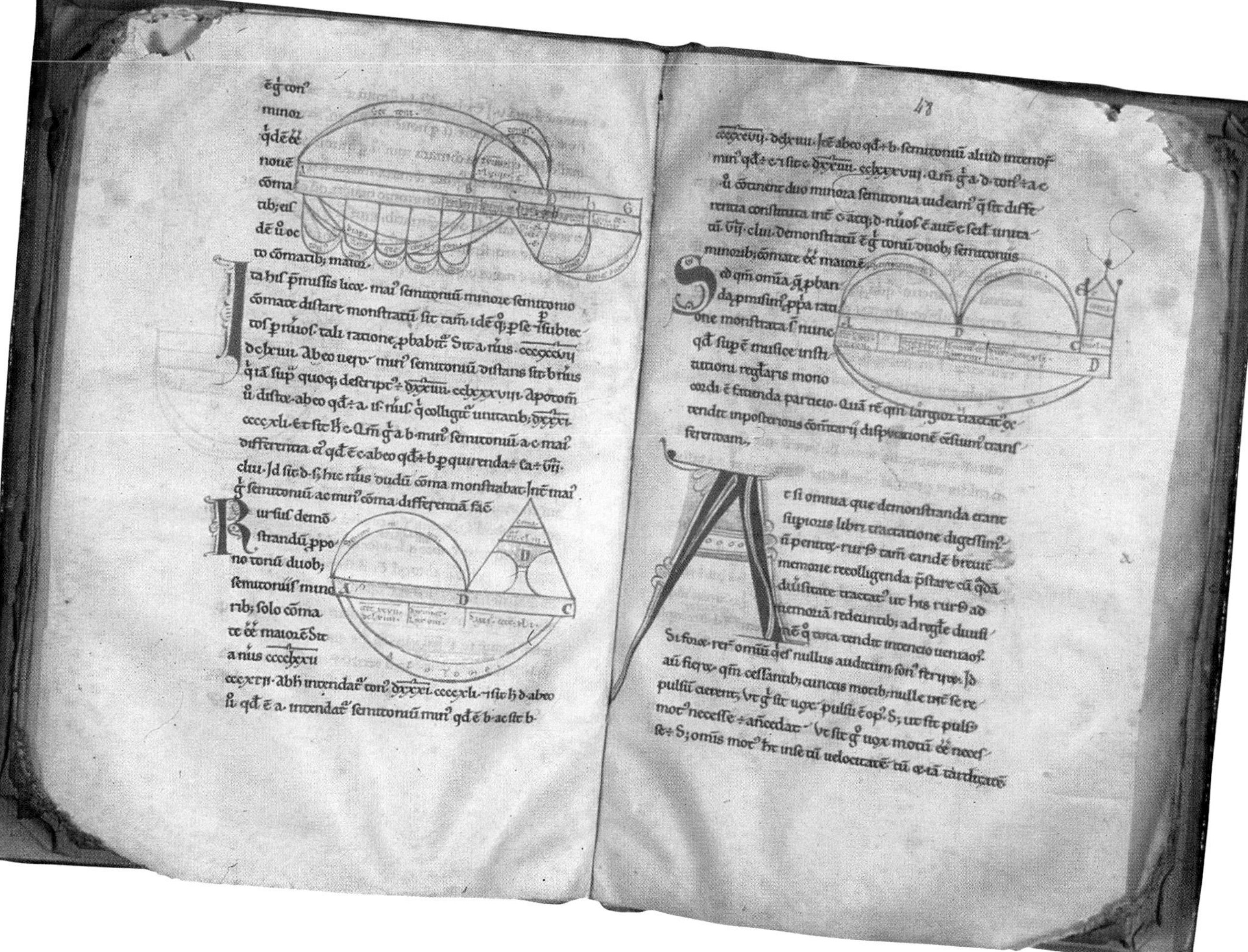

Le traité de Boèce sur la musique fut l'une des œuvres les plus lues pendant tout le Moyen Age.

Boèce, *De la musique*, XIIe siècle.

BM d'Avranches, ms. 237, f°. 47 v°.

POST MORTEM
IOSUE CONSU
LUERUNT FILII
ISRAEL DNM DICENTES. QUIS ASCEN

Page de gauche

Ce manuscrit est l'un des chefs-d'œuvre de l'enluminure romane. Bible de Saint-Martial de Limoges, **XIe siècle.** BnF, ms. lat. 8, f°. 91.

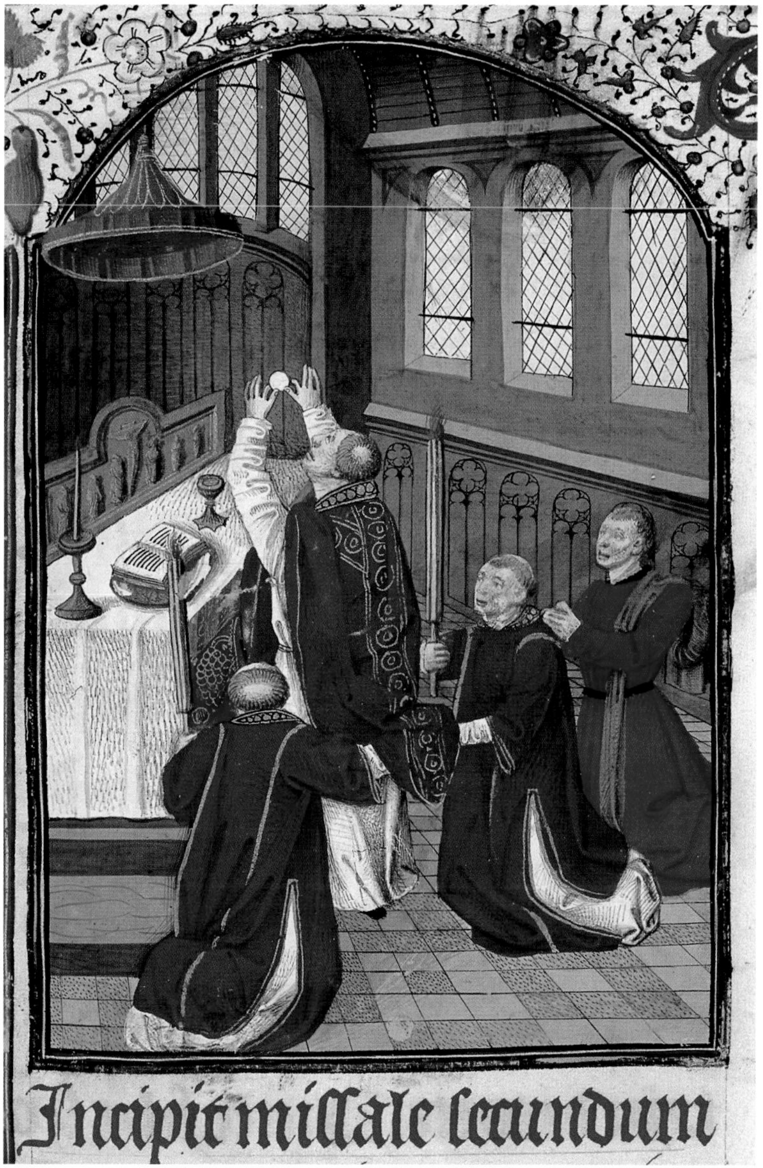

Un prêtre célèbre la messe. *Missel de Jean Rolin,* **XVe siècle.** BM de Lyon, ms. 517, f°. 8 r°. Photo BM de Lyon, Didier Nicole.

communauté monastique. Il contient les prières et le canon de la messe. Il est remplacé par le missel à la fin du Moyen Age. Le bréviaire rassemble l'ensemble des textes de l'office divin. Il apparaît dans les bibliothèques monastiques au XIe siècle et devient le plus répandu des manuscrits liturgiques. Il comprend un psautier, un hymnaire et un antiphonaire pour les chants sacrés, un collectaire et un lectionnaire qui rassemblent les lectures essentielles.

Le XIIe siècle voit l'apogée des bibliothèques monastiques grâce à l'ajout de nouveaux auteurs comme Bernard de Clairvaux, Hugues de Saint-Victor, Pierre Lombard, Pierre Comestor ainsi que les *Décrets* de Gratien, connu en France à partir de 1170.

La copie de ces manuscrits, en particulier les bibles et les psautiers, est une entreprise collective incluant un grand nombre de moines et s'étendant sur de nombreuses semaines. Leurs illustrations se concentrent dans les initiales et les marges. Les manuscrits liturgiques sont soigneusement rangés dans des coffres du cloître ou de la sacristie.

Ces ouvrages, destinés à la liturgie et à l'édification des moines, s'accompagnent de quelques textes classiques, écrits par des auteurs païens admirés au Moyen Age pour leur art de la rhétorique comme Cicéron, Sénèque, Virgile, Horace ou Juvénal.

La règle de saint Benoît, à laquelle obéissent Clunisiens et Cisterciens, organise la journée des moines en douze heures de travail et de prières, réparties entre le lever et le coucher du soleil. Elle réserve cependant quelques instants à la lecture, considérée comme une activité obligatoire et nécessaire au salut de l'âme.

Dans la pratique monastique, la lecture est donc perçue comme une obligation et même une pénitence, ce qui provoque la résistance de certains frères, comme le laisse entendre cet extrait de la règle de saint Benoît.

Un document, daté du XIe siècle, qui énumère les lectures de carême des moines de Cluny, nous permet d'appréhender la diversité des ouvrages mis à la disposition des moines. Il compte soixante-quatre titres : des œuvres des Pères de l'Eglise comme saint Cyprien, saint Augustin, saint Jérôme, Cassiodore, Grégoire le Grand, Isidore de Séville, de lettrés comme Bède le Vénérable, d'auteurs représentatifs de la renaissance carolingienne comme Alcuin et Raban Maur, mais aussi de quelques auteurs grecs comme Origène, saint Jean Chrysostome, et de façon plus étonnante, une *Histoire du*

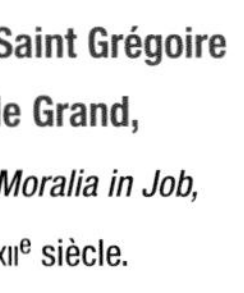

Saint Grégoire le Grand, *Moralia in Job,* XIIe siècle.
BM de Tours, ms. 321, f°. 248 v°.

LA LECTURE SELON SAINT BENOÎT

L'oisiveté est l'ennemie de l'âme. Aussi, les frères doivent-ils être occupés à heures fixes au travail manuel ou à la *lectio divina.* Nous croyons devoir adapter ces dispositions selon les saisons. De Pâques aux calendes d'octobre, les frères sortiront du monastère au matin ; ils travailleront manuellement à tout ce qui est nécessaire de prime jusqu'aux environs de la quatrième heure. De la quatrième heure à la sixième, ils vaqueront à la lecture. Après sexte, lorsqu'ils se lèvent de table, ils se reposent sur leur lit dans un silence complet. Si quelqu'un veut lire, qu'il lise pour lui sans troubler le repos des autres. On dira les nones plutôt au milieu de la huitième heure, et les frères travailleront jusqu'à vêpres à tout ce qui est nécessaire…
A la quadragésime, tous les frères recevront des livres de la bibliothèque qu'ils devront lire d'une manière suivie et entière. Avant tout, il est bon de désigner deux frères parmi les plus âgés, pour parcourir le monastère pendant les heures où les frères vaqueront à la lecture. Ils verront s'il se trouve par hasard quelque frère négligent qui s'abandonne à l'oisiveté ou à de vaines fables et qui ne soit pas plongé dans sa lecture. Cette oisiveté est pour lui sans fruit et dissipe les autres. S'il s'en trouve un, il sera réprimandé d'abord, puis une seconde fois. S'il ne se corrige pas, il sera soumis à la correction prévue par la Règle de telle sorte que son châtiment inspire de la crainte aux autres.
Règle de saint Benoît, chapitre XLVIII.

peuple juif de Flavius Josèphe et une *Histoire romaine* de Tite-Live.

Il ne fait pas de doute que, si pour certains moines la lecture est perçue comme une activité fastidieuse, imposée par la règle, elle est devenue pour d'autres une véritable passion, leur unique moyen d'appréhender le monde. C'est pourquoi certains érudits se lancent à la recherche des textes rares et voyagent d'abbayes en abbayes afin d'enrichir leurs connaissances. La lettre, écrite par l'abbé Loup de Ferrières au lettré carolingien

LETTRE DE LOUP DE FERRIÈRES À EGINHARD

L'amour des lettres est né en moi presque depuis ma plus tendre jeunesse ; et je n'ai point méprisé ce que la plupart de nos contemporains appellent leurs loisirs superstitieux et superflus. Si la disette de maîtres ne s'y fut pas opposée, si l'étude des anciens tombée dans une longue prostration n'eût point été près de périr, j'aurais peut-être pu, Dieu aidant, satisfaire mon avidité, puisque ayant commencé à se ranimer de votre temps, grâce au très fameux empereur Charles, à qui les lettres doivent rendre un tel hommage qu'elles lui procurent une éternelle mémoire, le culte des choses de l'esprit a déjà quelque peu relevé la tête et que le mot de Cicéron est redevenu assez conforme à la vérité : « La considération nourrit les arts et la gloire enflamme tous les cœurs pour les études… »

A mon avis du moins la science vaut d'être convoitée pour elle-même. Le saint évêque métropolitain Aldric m'envoya l'acquérir. Je pris au hasard un professeur de grammaire qui m'enseigna les règles de l'art. De nos jours, passer de la grammaire à la rhétorique puis dans l'ordre, aux autres enseignements libéraux, ce n'est qu'une plaisanterie ; en conséquence, je commençai ensuite un peu à lire les livres des auteurs au petit bonheur. Mais les ouvrages composés à notre époque me déplurent parce qu'ils s'écartaient de cette gravité qu'on trouve chez Cicéron et chez tous les autres auteurs classiques et que les Pères de l'Eglise ont aussi imitée. C'est alors que me tomba entre les mains votre ouvrage où (qu'il me soit permis de le dire sans soupçon de flatterie), d'un style remarquable, vous avez confié aux lettres les faits, entre tous remarquables eux aussi, dudit empereur. J'y découvris et goûtai les fines pensées, les transitions rares que j'avais notées chez les bons auteurs, enfin ces clairs jugements qui ne s'entortillent pas dans les trop longues périodes, mais se condensent en de brèves formules. C'est pourquoi votre réputation tout d'abord, qui est à mes yeux celle d'un sage, puis et surtout l'éloquence que je découvrais en votre livre, me firent désirer de voir naître dans la suite l'occasion de vous être présenté et de m'entretenir avec vous.

Que mon désir puisse se réaliser, j'en ai l'espoir d'autant plus vif que venant de Gaule ici dans la région transrhénane je suis devenu votre très proche voisin. Je fus en effet envoyé par le susdit évêque auprès du vénérable Raban Maur pour être initié par lui aux divines Ecritures. Donc, lorsque je sus qu'un envoyé de Raban devait se rendre d'ici auprès de vous, j'eus dessein d'abord de vous soumettre quelques termes obscurs à élucider, ensuite, il me parut préférable de vous devoir adresser la présente lettre. Si elle reçoit de vous bon accueil, je me féliciterai d'une faveur que j'ai désirée et à laquelle je ne resterai pas insensible.

Mais ayant une fois franchi les bornes de toute retenue, je vous demande encore de me prêter quelques-uns de vos livres pendant mon séjour ici : solliciter un prêt de livres, c'est infiniment moins audacieux que de réclamer le don de l'amitié. Ce sont : le traité de Cicéron sur la rhétorique (je le possède, il est vrai, mais plein de fautes en de nombreux endroits ; c'est pourquoi j'ai collationné mon exemplaire sur le manuscrit que j'ai découvert ici ; je croyais celui-ci meilleur que le mien ; il est plus fautif) ; plus trois livres du même auteur sur la rhétorique en forme de discussion dialoguée sur l'orateur (je pense que vous les avez, parce que dans le catalogue de vos livres, après la mention du traité à Henenius et l'intercalation de quelques autres, je trouve écrit : *Traité sur la rhétorique* de Cicéron), plus le *Commentaire sur les livres* de Cicéron. En outre le livre des *Nuits attiques* d'Aulu Gelle. Il y a aussi dans ce catalogue plusieurs autres ouvrages que, si Dieu m'accorde de jouir de votre faveur, je désire ardemment me voir confier, pour les copier pendant mon séjour ici, quand je vous aurai rendu les autres.

Ed. L Levillain, Paris, 1927, t. I, p. 4-9.

Eginhard au début du IXe siècle, témoigne résolument de cet amour partagé de la lecture.

Ces échanges gratuits entre érudits laissent la place au XIIe siècle à un usage de la lecture beaucoup plus professionnel, celui des maîtres et de leurs écoliers.

Les livres et les écoles

Le XIIe siècle, et surtout le XIIIe, voit naître une nouvelle pratique de la lecture, celle des écoles. Les maîtres et leurs étudiants installés à Paris, puis dans les grandes villes universitaires d'Occident comme Oxford, Bologne et Salamanque, considèrent les livres comme des instruments de travail. Les libraires installés en ville se lancent au XIIIe siècle dans la production en masse de bibles de poches, complètes et compactes, destinées à ce nouveau public. Elles remplacent les grands livres de chœur ou de cérémonie, copiés et enluminés dans les monastères.

Ces bibles universitaires ne sont pas des ouvrages liturgiques mais des livres d'étude qui doivent être maniables et transportables, d'un coût réduit. Elles sont écrites sur deux colonnes, sur un fin velin, d'une graphie serrée afin de ne pas gâcher le parchemin. Leur texte est uniformisé ; leur décor des plus réduits se limite le plus souvent à une petite initiale ornée afin de permettre au lecteur de distinguer rapidement les principales divisions du texte. Les rubriques et les index qui

Les écrits de Gratien constituent l'une des bases de l'étude du droit canon.
Gratien, *Décrétales*, enluminure de Maître Honoré, XIIIe siècle.
BM de Tours, ms. 558, f°. 1 r°.

Les écoles monastiques et épiscopales en l'an mille.

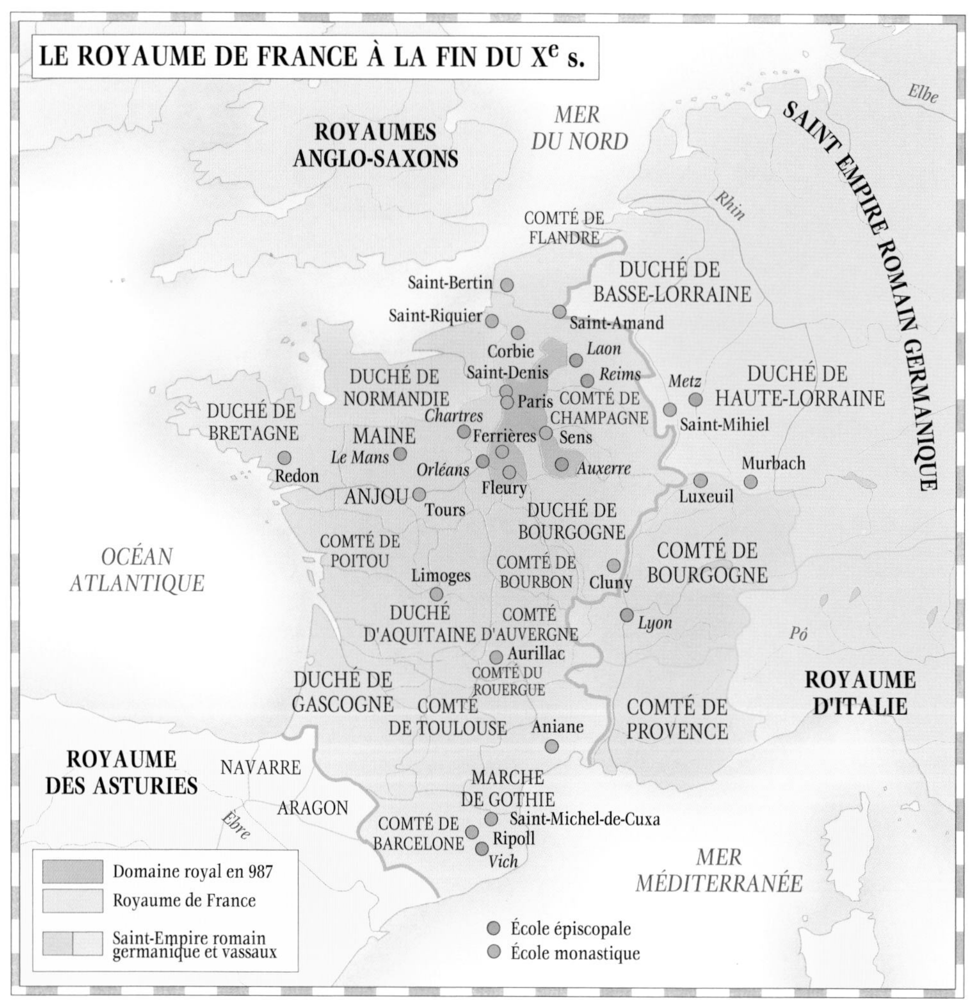

Quoniam novis supervenientibus causis novis est remediis succurrendum, ideo ego Bartholomeus Brixiensis confidens de magnificentia creatoris apparatum decretorum duxi in melius reformandum, non detrahendo alicui nec attribuendo michi glosas quas non feci, sed supplendo defectum solummodo ubi correctio necessaria videbatur...

Concordia discordantium canonum ac primum de iure nature et constitutionis.

Humanum genus duobus modis regitur, naturali videlicet iure et moribus. Jus naturale est quod in lege et in evangelio continetur, quo quisque iubetur alii facere quod sibi vult fieri et prohibetur alii inferre quod sibi nolit fieri. Unde Xristus in evangelio: Omnia quecumque vultis ut faciant vobis homines et vos eadem facite illis. Hec est enim lex et prophete. Hinc Ysidorus in v. libro ethimologiarum ait: Divine leges natura, humane moribus constant.

Omnes leges aut divine sunt aut humane. Divine natura, humane moribus constant, ideoque hee discrepant, quoniam alie aliis gentibus placent. Fas lex divina est. Jus lex humana. Transire per agrum alienum fas est, jus non est. Ex verbis huius auctoritatis evidenter datur intelligi in quo differant inter se lex divina et humana, cum omne quod fas est nomine divine vel naturalis legis accipiatur, nomine vero legis humane mores iure conscripti et traditi intelligantur. Est autem ius generale nomen multas sub se continens species. Unde in eodem libro ethimologiarum Ysidorus ait: Jus generale est, lex autem species eius est.

Jus generale nomen est, lex autem iuris est species. Jus autem est dictum quia iustum est. Omne autem ius legibus et moribus constat. Quid sit lex. Lex est constitutio scripta. Quid sit mos. Mos est longa consuetudo de moribus tantummodo tracta. Quid sit consuetudo. Consuetudo autem est ius quoddam moribus institutum quod pro lege suscipitur cum deficit lex. Nec differt an scriptura an ratione consistat, quoniam et legem ratio commendat. Porro si ratione lex consistat, lex erit omne quod iam ratione constiterit, dumtaxat quod religioni congruat, quod discipline conveniat, quod saluti proficiat. Vocatur autem consuetudo quia in communi usu est. Cum itaque dicitur non differt utrum consuetudo scriptura vel ratione consistat, apparet quod consuetudo est partim redacta in scriptis, partim moribus tantum utentium est reservata. Que in scriptis redacta est constitutio sive ius vocatur. Que vero in scriptis

Un maître explique à ses élèves les subtilités de l'étude du droit.
Cino da Pistoia, *Commentaire sur le Code*, XIVe siècle.
BM de Lyon, ms. 374, f°. 1. Photo BM de Lyon, Didier Nicole.

font alors leur apparition sont autant d'outils destinés à faire de ces manuscrits des instruments de travail efficaces.

Les bibles ne sont pas les seuls ouvrages nécessaires au monde estudiantin. Dans les villes universitaires, les facultés des arts, de droit, de médecine et de théologie, mettent au programme des ouvrages fondamentaux que les écoliers doivent connaître. Les libraires ou stationnaires s'engagent à les faire copier avec le plus grand sérieux et au moindre prix. Plus petits, moins décorés que les manuscrits issus des *scriptoria* monastiques, ces ouvrages universitaires sont cependant plus variés. Ils comprennent peu de textes liturgiques et s'intéressent davantage aux auteurs qui font autorité auprès des écoliers.

Ceux qui fréquentent la faculté de théologie doivent posséder une bible et l'ouvrage principal pour leur matière, les *Sentences* de Pierre Lombard. Les étudiants en droit canon doivent se pencher sur le *Décret* de Gratien, les *Clémentines* et autres décrétales pontificales. Les étudiants en droit civil fréquentent assidûment le *corpus iuris civilis* qui comprend le *Code* de Justinien, le *Digeste,* les *Institutes* et les *Novelles*. Les ouvrages du grammairien Donat et du philosophe Aristote constituent la base de l'enseignement de la faculté des arts. Les futurs médecins doivent s'imprégner des textes d'Hippocrate, de Galien et du *Canon* d'Avicenne.

Les lectures des laïcs

A l'époque où les écoles fleurissent à Paris, les laïcs, en particulier les aristocrates, abandonnent l'oralité pour la lecture silencieuse de livres religieux ou profanes. La lecture se répand dans la noblesse aussi bien chez les hommes que chez les femmes.

Si le moraliste Philippe de Novare se montre encore hostile à l'accès des femmes à la culture écrite dans son *Traité des quatre âges de l'homme,* écrit vers 1265, sous le prétexte que leur nature foncièrement mauvaise peut les conduire à mal user de cet avantage : « Il n'est pas bien que les filles sachent lire et écrire, à moins de vouloir être religieuses car elles peuvent, lorsque l'âge viendra, écrire ou recevoir des billets doux », il fait désormais figure d'isolé. Pour

Ci commance le · xve livre des proprietez
qui traitte des provinces et des pays ·
laide de dieu Il
fault dire aucune
chose des parties
de la terre et des
provinces par les
quelles le monde
est devise en general
et ne dirons pas de toutes mais seulement
de celles dont la sainte escripture fait sou
ventes foys mention · Le premier chap parle
Selon ysidore de la division du monde
ou · xve livre des ethymologies
le monde est devise en troys parties dont
lune est appellee Asye · et lautre europe

Le *Livre de la Propriété des Choses* est l'une des encyclopédies les plus appréciées à la fin du Moyen Age.

Barthélemy l'Anglais, le *Livre de la Propriété des Choses*, XVe siècle.

BnF, ms. fr. 9141, f°. 217 v°.

Ovide,
***Héroïdes,* XVe siècle.**
BnF, ms. fr. 875, f°. 5 v°.

le dominicain Vincent de Beauvais, son contemporain, l'éducation des filles est au contraire un dérivatif à leurs mauvais penchants. Le chevalier Geoffroy de la Tour Landry, qui rédige en 1372 un traité d'éducation pour ses filles, est d'avis que celles-ci doivent savoir lire pour être initiées à la sagesse et se garder des périls qui menacent leur âme. La fréquentation des textes saints est une activité noble et nécessaire. Ces auteurs s'accordent avec Christine de Pizan pour apprendre la lecture en langue vulgaire aux filles afin de les former dans leur rôle de future mère et de pédagogue. Le latin, qui en ferait des érudites, ne leur semble cependant pas nécessaire.

L'apparition de femmes écrivains comme les *trobairitz,* femmes troubadours, ou encore Marie de France (XIIe siècle) et, bien sûr, Christine de Pizan (1365-1430), suffit à démontrer la participation des femmes à la culture de l'écrit à la fin du Moyen Age. Les femmes écrivent et elles lisent. Elles se constituent leurs propres bibliothèques.

En 1435, la reine Isabeau de Bavière laisse à sa mort une collection de trente-trois manuscrits. Les collections des reines et des princesses sont toujours plus modestes que celles de leurs époux car elles disposent de moyens financiers plus limités mais elles n'en témoignent pas moins d'un réel intérêt pour la lecture.

Les commandes de la comtesse Mahaut d'Artois (morte en 1329) sont significatives de cette pratique féminine de la lecture qui s'attache prioritairement aux ouvrages de dévotion et aux romans, abandonnant aux hommes les textes politiques ou historiques. En 1308, la comtesse acquiert à Arras une *Histoire de Troie* et un roman de *Percheval* pour sept livres un sou. En 1312, elle achète un récit des voyages de Marco Polo. Sa bibliothèque compte aussi un roman courtois, les *Vœux du Paon* de Jacques de Longuyon, une *Vie de Saints,* achetés à un libraire parisien, Thomas de Maubeuge, huit livres en 1313, une bible en français, acquise auprès du même libraire pour la somme considérable de cent livres en 1327.

Scènes de la vie de Moïse.
Bible de l'Arsenal,
XIIIe siècle.
BnF, ms. lat. 521, f°. 30.

Les princesses de la famille capétienne comme Jeanne d'Evreux, Blanche de Navarre, Jeanne de Belleville, Jeanne de Navarre, Bonne de Luxembourg ou Yolande de Flandres comptent elles aussi parmi les grandes commanditaires de manuscrits de luxe du XIVe siècle. Les manuscrits qui portent leurs armoiries sont essentiellement des ouvrages de dévotion, psautiers, bréviaires ou livres d'Heures.

Les lecteurs au Moyen Age

Les livres de la dévotion

Si la Bible est le manuscrit le plus répandu dans les milieux monastiques et universitaires, elle demeure assez rare dans les bibliothèques des laïcs. Seuls, quelques riches collectionneurs en possèdent des exemplaires, somptueusement enluminés, comme la *Bible dite de Saint Louis,* conservée à la Bibliothèque nationale de France (BNF, ms. lat. 10426). La connaissance du latin est peu répandue dans l'aristocratie et ce

Daniel vidit in visione q. iiii. ve
ti celi pugnabant i medio mari.
Et iiii. bestie grandes ascendebant de mari.
Prima quasi leena habens alas quasi aquile. Alia
similis urso. tres ordines dentium habens i ore.
Tercia bestia quasi pardus et habebat alas a
vis. Quarta bestia terribilis et fortis ni
mis. dentes ferreos habebat. omnia comminuens
et pedibus conculcans. et x. cornua habebat.

Daniel vit en vision. iiii. vens batail
lans en la mer. et iiii. bestes issoi
ent de la mer. la premiere une leonesse
et avoit elles daigle. la seconde comme
ours a. iii. rens de dens en la gueule.
la tierce comme liepart a elles doisel.
la quarte fort et horrible a dens de fer
qui tout despecoit et avoit. x. cornes.

Iudicium sedit: et libri aperti
sunt.

Ceci senefie au iugement et les livres
furent ouvers.

Quatuor mundum signt. iiii. venti
iiii. elementa. que pugnant i
corpore. iiii. bestie. iiii. affectiones anime
Spes. Timor. Odium. amor. pro tem
poralibus.

Le mer segnefie le munde. les. iiii.
vens sont les. iiii. elemens qui se
combatent ou corps humain. les. iiii.
bestes. iiii. affections. esperance. paour.
hayne. amour. des choses temporeles.

Hoc sigt q. consciencie singulorum i
iudicio manifestabuntur.

Ceci segnefie que les consciences de
chascun seront ouvertes au iuge
ment.

Aspiciebam et throni positi sunt.
et antiquus dierum sedit. Vesti
mentum eius candidum quasi nix. ca
pilli eius quasi lana munda. et thronus
eius flamma ignis. rote eius ignis
accensus.

Le regardoie et vei l'ancien qui se sist q
avoit blans vestemens. et les cheveux
blans comme laine son throne une
flambe de feu. ses roues comme feu
embrase.

Daniel vidit q. interfecta esset bestia
et periisset corpus eius et traditum
esset igni ad comburendum. aliarum quoque
bestiarum ablata est potestas et tempora
vite eius constituta erant usque ad tempus.

Daniel vit que la beste estoit ocise
et son corps peri et ars et la force des
autres bestes estoit ostee apres leur temps.

Antiquus dierum deus eternus est
Vestimentum eius candidum
et capilli quasi lana munda virgines
castas corpore et spiritu sigt. Thronus est i
quo sedit. pauperculos religiosos. Ro
te ignee predicatores quorum cor ardens
est in ministerio dei.

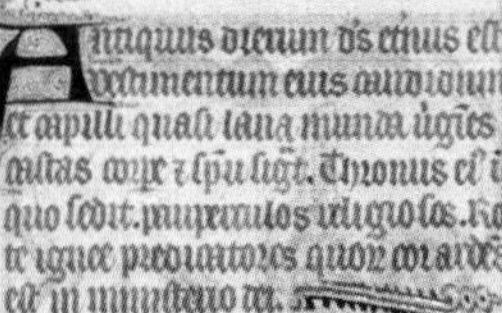

Cest ancien est dieu pardurable
ses vestemens et cheveus blans
segnef. les blanches et pures vierges
de corps et de cuer. son throne les sains
religieus qui sont sans muablete et
parole les roues ardans ceus qui pre
chent fermaument la bonte de dieu.

Hoc secundum quod sigt diab. i iudicio dy
abolo et impius qui sunt corpus
eius. ite maledicti: in ignem eternum.

Ceci segnef. que le pooir de l'ancien
et des mauves qui sont ses me
bres sera oste et mis ou feu pardurable et
les autres bestes ce sont ces. iiii. condi
cions ne seront plus comme a sont.
car en paradis amour et ioie tant seu
lement regneront. en enfer hayne et
tristece.

Le roi David musicien.

Psautier, XVe siècle.

BM de Rennes, ms. 1437, f°. 5.

Bible moralisée de Jean le Bon,
XIVe siècle.

BnF, ms. fr. 167, f°. 217 v°.

n'est que lorsque la Bible est en partie traduite du latin en français à l'initiative de certains clercs qu'elle connaît un succès plus grand auprès du public profane à partir de la fin du XIIIe siècle. Elle est traduite sous le nom de *Bible historiale* par Guyart de Moulins, chanoine puis doyen de Saint-Pierre d'Aire en 1295. Le succès de cette traduction est réel puisque l'on conserve encore de nos jours soixante-dix manuscrits, souvent richement décorés de cette première version. En 1317, le copiste Jean de Papeleu, demeurant rue des Ecrivains à Paris, réalise l'une de ces belles copies dotée de cent soixante-seize enluminures (Paris, Bibliothèque de l'Arsenal, ms. 5059). Plus qu'une traduction complète de la lettre biblique, il s'agit davantage d'une histoire sainte, accolée au texte, le tout copié sur des manuscrits de grand format, sur deux ou trois colonnes, facilement accessible à un public d'amateurs cultivés. Les illustrations placées en marge du texte permettent une compréhension accrue des événements racontés dans l'ouvrage.

Les XIIe et XIIIe siècles voient la floraison de traductions ou d'adaptations de livres isolés de la Bible comme le psautier et l'Apocalypse. Il faut attendre le XIVe siècle pour que soient réalisées, à l'égide des rois capétiens, les premières tentatives de traductions intégrales en français du texte biblique. La traduction du dominicain Jean de Sy, patronnée par le roi Jean II le Bon, celle de Raoul de Presles, commanditée par Charles V entre 1375 et 1380, demeurent cependant inachevées en raison de l'ampleur de la tâche.

Les livres de dévotion des laïcs sont en général de format beaucoup plus modeste. Le bréviaire, le psautier et le livre d'Heures se partagent successivement leurs faveurs. La collection du duc de Berry fournit un bon exemple de cette répartition. Ce grand amateur de livres possède environ trois cents manuscrits, dont seize psautiers, dix-huit bréviaires et de nombreux livres d'Heures.

Le bréviaire et le psautier sont les premiers des manuscrits monastiques à avoir quitté les cloîtres pour les chapelles privées des laïcs. Le psautier est un recueil de psaumes tirés de la Bible. Il permet au fidèle de se recueillir et de méditer. Les psaumes sont des poèmes religieux de trois espèces :

les hymnes, les supplications et les actions de grâces comme le Magnificat. Les plus connus sont les supplications ou psaumes de la pénitence, appelés ainsi par Cassiodore au VIe siècle et attribués au roi David. Dans les familles de la noblesse, il est souvent le livre qui permet d'apprendre à lire aux jeunes générations.

Le bréviaire est le premier livre de prières destiné aux laïcs, apparu au Moyen Age. Il s'agit souvent d'un manuscrit de petite dimension. Il rassemble sous une forme condensée les textes nécessaires à la méditation : les hymnes, les lectures, les psaumes, les cantiques, les offices de matines à complies, c'est-à-dire les différentes prières à réciter chaque jour selon les heures de la journée. Destiné à l'origine aux prêtres, aux moines et aux religieuses, il s'est peu à peu répandu chez les laïcs. Le choix des textes qui composent le bréviaire est laissé à la libre appréciation de son commanditaire. Le Propre des saints et un Petit office en l'honneur de la Vierge sont venus s'y ajouter à partir du XIe siècle. Peu à peu, un modèle type de bréviaire s'est fixé au XIIIe siècle.

A la même époque, le Petit office dédié à la Vierge se détache du bréviaire pour former le noyau d'un nouvel ouvrage de dévotion destiné aux laïcs, le livre d'Heures.

Le livre d'Heures est souvent le seul objet d'art qu'un amateur modeste du Moyen Age peut s'offrir. A la fin de la période médiévale, il est le livre le plus copié et le plus enluminé. C'est encore le manuscrit du Moyen Age le plus représenté dans nos bibliothèques publiques (quatre cents à la British Library de Londres, trois cents à la Bibliothèque nationale de Paris, mais ils sont très nombreux dans les bibliothèques de province).

Le texte du livre d'Heures s'est constitué petit à petit à partir de celui du psautier et du bréviaire, en particulier grâce aux prières insérées dans le Petit office de la Vierge qui en devient le cœur. Cette évolution correspond à l'essor du culte marial dans la religion catholique à partir du XIIe siècle.

Le livre d'Heures tire son nom des heures canoniales instaurées par l'Eglise dès le VIIIe siècle. Les règles monastiques demandent aux frères de se réunir sept fois par jour, toutes les trois heures environ, afin de prier. Sonnées au clocher de l'église, les heures rythment la journée du chrétien. Elles débutent par matines vers minuit, puis laudes vers trois heures du matin, prime à six heures,

Ce manuscrit s'enrichit de superbes marges peuplées de combats de chevaliers.
***Bréviaire de Renaud de Bar,* fin du XIIIe siècle.**
BM de Verdun, ms. 107, f°. 19.

L'Annonciation.
Livre d'Heures, XVe siècle.
BM de Rennes, ms. 1334, f°. 27.

tierce vers neuf heures, sexte à midi, none vers quinze heures, vêpres à dix-huit heures et se terminent avec complies à neuf heures du soir. Matines et laudes ont ensuite été réunies dans un office du matin, chanté à l'aube, et vêpres et complies en un office du soir. Le terme d'heures finit à la fin du Moyen Age par désigner l'office chanté.

Quelques laïcs très pieux ont choisi de suivre ces heures liturgiques afin de se recueillir et de prier. Selon son biographe, le sire de Joinville, c'est une pratique adoptée par le roi Saint Louis « tous les jours, le roi ooit ses heures et une messe de requiem et puis la messe du jour... l'après-midi il disait en sa chambre l'office des morts... le soir il ooit complies ». Il ne s'agit donc pas de messes mais de prières récitées en privé ou en famille. Les livres d'Heures sont les supports privilégiés de ces nouvelles formes de dévotion ; ils répondent mieux aux besoins des laïcs que les traditionnels bréviaires et psautiers.

L'organisation du livre d'Heures a été décomposée par l'abbé Leroquais en textes essentiels, secondaires et accessoires. Ces textes sont assemblés par des copistes et illustrés par des enlumineurs à la demande des commanditaires laïcs dans des ateliers urbains, en dehors du contrôle de l'Eglise.

Les textes essentiels, présents dans la grande majorité de ces manuscrits, sont le calendrier, l'office de la Vierge, les psaumes de la pénitence, les litanies et l'office des morts.

Le calendrier, rédigé en latin ou en français, correspond à l'usage liturgique d'un diocèse. Chaque mois occupe un feuillet, recto verso ; tous les jours du mois ne sont pas indiqués, mais seulement les fêtes principales notées en rouge et les saints locaux inscrits à l'encre noire. La présence de ces saints permet avec précision de déterminer la provenance ou la destination du livre d'Heures en identifiant son diocèse. Cependant, à la fin du Moyen Age, les calendriers à l'usage de Rome ou de Paris tendent à acquérir la prépondérance dans toute la France. Lorsqu'il est illustré, le calendrier s'accompagne des représentations des travaux des jours et mois et des signes du zodiaque.

Deus in adiutorium
meum intende.
Domine ad ad
iuvandum me festina.

La Nativité.

Livre d'Heures à l'usage de Paris, enluminure de l'atelier du Maître de Boucicaut, xve siècle.

Bibliothèque royale Albert-Ier, Bruxelles, ms. 10.767, f°. 59.

L'Annonce aux Bergers.

Livre d'Heures à l'usage de Paris, enluminure de l'atelier du Maître de Boucicaut, xve siècle.

Bibliothèque royale Albert-Ier, Bruxelles, ms. 11.051, f°. 75.

L'Annonciation.

Livre d'Heures à l'usage de Paris, enluminure de l'atelier du Maître de Boucicaut, xve siècle.

Bibliothèque royale Albert-Ier, Bruxelles, ms. 10.767, f°. 30.

Les Heures de la Vierge qui donnent parfois leur nom au livre d'Heures, que l'on appelle volontiers à la fin du Moyen Age Heures de Notre-Dame, consistent en une louange chantée de la Vierge et du Christ, rythmée par les heures canoniales. Chaque Heure est composée d'un verset et d'un répons d'introduction, suivis du *Gloria*, d'une antienne, un verset chanté avant et après le psaume, de psaumes, de capitules, de courts extraits des psaumes. Les offices les plus importants sont ceux du matin et du soir, ceux de la journée (prime, tierce, sexte, none et vêpres) sont qualifiés de « petites heures ».

L'office de la Vierge, qui constitue le cœur du livre d'Heures, est toujours la partie la plus illustrée du manuscrit. Si celui-ci ne comporte qu'une seule enluminure, elle lui appartient. Le choix des images qui l'illustrent s'est fixé assez tôt et suit un cycle consacré à l'Enfance du Christ. Il débute avec la représentation de l'Annonciation qui accompagne l'office de matines, puis vient la Visitation pour les laudes, la

Page de gauche

La Nativité.

Livre d'Heures à l'usage de Paris, enluminure de l'atelier du Maître de Boucicaut, xve siècle.

Bibliothèque royale Albert-Ier, Bruxelles, ms. 11.051, f°. 69.

Le Jugement Dernier.
Grandes Heures de Rohan,
XVe siècle.
BnF, ms. lat. 9471, f°. 154.

Nativité pour prime, l'Annonce aux bergers pour tierce, l'Adoration des Mages pour sexte, la Présentation au Temple pour nones, la Fuite en Egypte ou le Massacre des innocents pour vêpres et se termine avec le Couronnement de la Vierge pour complies.

Le livre d'Heures a repris du psautier un choix de sept psaumes, qualifiés de psaumes de la pénitence (ps. 6, 31, 37, 50, 101, 129, 142) attribués pour leur majorité, cinq d'entre eux, au roi David. Le psautier est en général illustré par une seule enluminure qui représente précisément David pénitent avec sa harpe.

Les litanies sont des prières adressées aux saints selon un ordre hiérarchique : la Trinité, la Vierge, les archanges, saint Jean-Baptiste, les apôtres, les saints du calendrier universel et enfin les saints locaux et les saintes. Elles sont souvent décorées par des représentations des saints avec leurs attributs.

L'office des morts est le dernier des textes essentiels qui composent le livre d'Heures. Il ne s'agit pas de la messe des morts dont le texte figure dans le missel mais d'une série de prières pour le salut de l'âme. Elles sont destinées à être lues en privé à l'occasion des veillées funèbres, avant la messe de requiem. Elles se composent de deux parties, la première, des vêpres jusqu'à minuit, et la seconde, de minuit à l'aube. Le propriétaire du livre d'Heures peut aussi les lire en dehors de tout contexte funéraire dans le seul but de se préparer à la mort et d'assurer son salut. Les moralistes et les théologiens recommandent au fidèle de pratiquer cet *ars moriendi*, art de bien mourir, qui consiste à apprivoiser sa propre mort en méditant sur des textes et des images

Les Outils de la Passion.
Livre d'Heures, XVIe siècle.
Bibliothèques d'Amiens-Métropole, ms. fonds Lescalopier 22 (501), CNRS-IRHT.

macabres. L'impact de ce texte est signifié par le nombre et la variété des illustrations qui l'accompagnent et qui évoquent l'obsession de la mort et du macabre qui a saisi l'Occident à la fin du Moyen Age après la grande épidémie de peste de 1348.

Les thèmes préférés des enlumineurs et de leurs commanditaires pour illustrer l'office des morts sont les représentations d'enterrement, de services funéraires et de cimetières mais aussi des thèmes plus moralisateurs comme la Mort s'emparant du mondain, le Dit des Trois morts et des trois Vifs, Job sur son tas de fumier et, dans une perspective plus optimiste, la résurrection de Lazare.

Ces textes essentiels sont les parties organiques du livre d'Heures. Le choix de la composition du manuscrit est laissé libre à son commanditaire qui peut décider d'y adjoindre des textes considérés comme secondaires comme les séquences des Evangiles, les Heures de la Croix et du Saint Esprit, des prières à la Vierge *Obsecro te et O intemerata*, ainsi que des suffrages adressés aux saints. Les séquences des Evangiles sont des extraits des quatre Evangiles : celle de saint Jean lue à la messe de Noël, débutant par *In principio erat verbum*, l'Evangile de saint Luc de l'Annonciation, lue le 25 mars, celle de saint Matthieu pour l'Epiphanie et, enfin, l'Evangile de saint Marc racontant la séparation des apôtres pour l'Ascension. Ces lectures correspondent aux grandes fêtes de l'année liturgique. Elles sont parfois illustrées d'un portrait des évangélistes, accompagnés de leur symbole.

Les Heures de la Croix et du Saint Esprit sont de courts offices composés seulement d'un hymne, d'une antienne et d'une prière. Le premier, qui évoque la Passion du Christ, est généralement illustré par une Crucifixion, le second d'une enluminure figurant la Pentecôte.

Les prières adressées à la Vierge *Obsecro te* et *O intemerata* sont plus souvent présentes dans les livres d'Heures. Elles connaissent un grand succès auprès des dévots de la fin du Moyen Age. La première est une longue supplication adressée à la Vierge afin d'obtenir son intercession au moment de la mort. La seconde exalte la virginité de la Mère de Dieu et réclame son aide pour la rémission des péchés. Ecrites en latin, ces prières sont composées au masculin ou au féminin selon la personnalité du commanditaire. Elles sont souvent illustrées d'une représentation de la Vierge à l'Enfant ou d'une Vierge de Pitié, avec, parfois, le ou la commanditaire, agenouillé(e) aux pieds de la Vierge.

Jeanne de Navarre et son ange gardien. ***Heures de Jeanne de Navarre,*** **XIVe siècle.**
BnF, nouv. acqu. lat. 3145, f°. 123 v°.

Les suffrages sont les derniers des textes secondaires ; ce sont des invocations aux saints sous la forme d'une antienne, d'un verset, d'un répons et d'une oraison. Ils reprennent l'ordre hiérarchique des litanies : la Trinité, la Vierge, les archanges, saint Jean-Baptiste, les apôtres, les saints et les saintes, rarement dotés de petits portraits.

Les commanditaires les plus exigeants font parfois ajouter à ces écrits essentiels et secondaires des textes accessoires comme des extraits de la Passion selon saint Jean, les Quinze joies de la Vierge, les Sept requêtes à Notre-Seigneur et d'autres prières.

Les Quinze joies de la Vierge sont une longue prière dans le goût de la fin du Moyen Age, consacrée aux mystères joyeux de l'Enfance du Christ et de la Vie de la Vierge. Marie apparaît dans chacun de ces épisodes : l'Annonciation, la Visitation, la Conception, la Nativité, l'Annonce aux bergers, l'Adoration des Mages, la Présentation au Temple, Jésus parmi les docteurs, les Noces de Cana, la Multiplication des pains, la Passion, la Résurrection, la Pentecôte, l'Ascension et l'Assomption.

Les Sept requêtes à Notre-Seigneur sont des prières adressées à Jésus-Christ. Viennent parfois s'y ajouter quinze oraisons dues à sainte Brigitte de Suède (1303-1373), elles sont censées abréger les années de Purgatoire.

Des prières écrites en langue vulgaire sont souvent copiées à la fin du livre d'Heures à la demande des commanditaires pour parer à toutes sortes d'éventualités : prières à saint Apolline contre le mal de dent, à sainte Marguerite contre la stérilité, à saint Sébastien contre la peste, etc.

Les livres d'Heures sont conservés dans les chambres de leurs propriétaires qui les lisent quotidiennement pour méditer et pratiquer la dévotion. Ils sont tenus pour des objets précieux que les parents transmettent par testament à leurs enfants. Ils sont aussi des cadeaux recherchés à l'occasion des fiançailles ou des mariages. Il n'est pas rare qu'ils deviennent une sorte de mémoire de la famille ou du lignage, les générations successives annotant dans leurs marges les événements importants de leur existence. Ils sont vraiment, comme l'a si bien dit l'historien de l'enluminure L.M. J. Delaissé, les « best-sellers du Moyen Age ». Cet engouement n'échappe pas à un certain snobisme dénoncé par le poète Eustache Deschamps (1346-1406) qui décrit ainsi dans l'une de ses ballades la vogue des livres d'Heures auprès des riches bourgeoises de Paris :

Le duc de Bretagne Pierre II en prières.
Heures de Pierre II de Bretagne, XVe siècle.
BnF, ms. lat. 1159, f°. 27 v°.

La duchesse de Bretagne Isabelle Stuart en oraison devant l'image de la Vierge à l'Enfant.
Heures d'Isabelle Stuart,
XVe siècle.
The Fitzwilliam Museum, Cambridge, ms. 62, f°. 20 r°.

Heures me fault de Nostre Dame
Qui soient de soutil ouvrage,
D'or et d'azur, riches et ceintres
De fin drap d'or bien couvertes,
Et quand elles seront ouvertes,
Deux fermaulx
D'or qui fermeront.

Eléments de prestige social, les livres d'Heures s'ornent parfois des portraits de leurs commanditaires et de leurs armoiries. Témoins d'un certain orgueil mondain, ils n'en demeurent pas moins les plus fidèles représentants de la dévotion sincère des hommes et des femmes de la fin du Moyen Age.

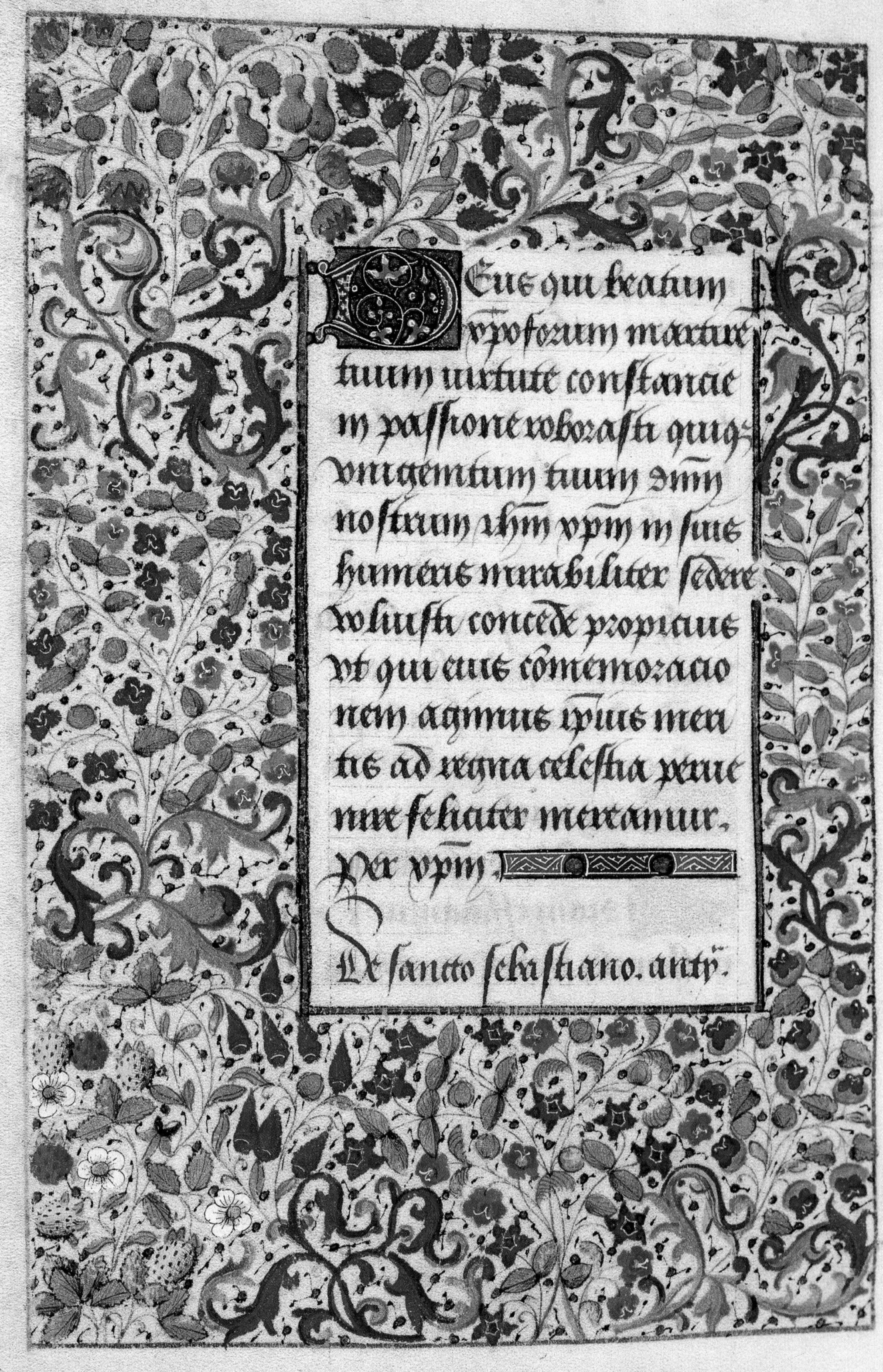
Deus qui beatum
xpoforum martire
tuum virtute constancie
in passione roborasti quiq
unigenitum tuum dnm
nostrum ihm xpm in suis
humeris mirabiliter sedere
voluisti concede propicius
ut qui eius comemoracio
nem agimus ipsius meri
tis ad regna celestia perue
nire feliciter mereamur.
Per xpm.

De sancto sebastiano. ant.

Le martyre de saint Sébastien.
Heures de Marguerite de Foix, **xve siècle.**
Collection Salting, n° 1222, f°. 205 v°. 206. Victoria and Albert Picture Museum, Londres.

Les manuscrits profanes

Les bibliothèques des laïcs conservent également quelques manuscrits profanes, destinés au plaisir et au désir d'évasion de leurs lecteurs. Ces ouvrages sont écrits en langue vulgaire. Ces livres sont souvent plus précieux et plus rares que les manuscrits de dévotion et ne sont accessibles qu'aux plus riches membres de l'aristocratie. Les hommes et les femmes de la noblesse partagent un goût commun pour l'histoire, mais une histoire romancée, fortement imprégnée des valeurs chevaleresques. Les héros de l'antiquité païenne comme Hector, Alexandre ou César s'y transforment en preux chevaliers.

A l'origine, le roman est un long poème rimé qui peut comprendre entre huit mille et trente mille vers. Les fictions romanesques plus courtes prennent le nom de conte ou de lai. S'il évoque des événements historiques, le roman est avant tout une œuvre d'imagination qui cherche à mettre en avant les vertus chevaleresques et courtoises prisées par ses lecteurs.

Parmi les ouvrages les plus réputés dans tout l'Occident, l'*Histoire ancienne jusqu'à César,* composée entre 1206 et 1230 par un auteur anonyme, offre au public aristocratique une version romanesque de la mythologie et de l'histoire antique susceptible de lui plaire. On en conserve encore aujourd'hui une quarantaine de manuscrits dans les bibliothèques publiques, un témoignage évident de son succès.

Ces manuscrits sont souvent somptueusement décorés par des peintures qui allient l'anachronisme à une élégance courtoise. L'*Histoire ancienne,* réalisée pour le duc de Berry en 1402, possède ainsi une savoureuse illustration de l'épisode du cheval de Troie (BNF, ms. fr. 301, f° 147 r°).

L'Antiquité a également fourni sa matière au *Roman de Troie* de Benoît de Sainte-Maure, composé à la cour d'Aliénor d'Aquitaine à la fin du XIIe siècle, qui insiste davantage sur les valeurs courtoises que les scènes de guerre et remporte un franc succès. Un manuscrit, réalisé en Italie au XIVe siècle, nous montre Cornelius, le neveu de Salluste, découvrant un placard rempli de romans troyens antiques (BNF, ms. fr. 782, f° 2 v°). Cette enluminure symbolise parfaitement la vogue auprès des lecteurs de ces romans tirés de l'Antiquité. La « matière antique » fournit aussi les sujets de plusieurs romans d'Alexandre qui mettent en

César franchit le Rubicon.
Histoire ancienne jusqu'à César,
enluminure de Jean Fouquet, XVe siècle.
Louvre DAG.
Photo RMN.

scène de façon assez fantaisiste l'empereur. Le *Roman de Thèbes* évoque à la manière médiévale le mythe d'Œdipe ; le *Roman d'Enéas*, composé vers 1150, s'inspire de l'*Enéide* de Virgile.

Les lecteurs de la fin du Moyen Age apprécient également une autre source d'inspiration romanesque, la « matière de Bretagne », qui chante les aventures du roi Arthur et des chevaliers de la Table ronde. Geoffroi de Monmouth écrit vers 1148 une *Vita Merlini* (Vie de Merlin) où il met en scène l'Enchanteur et le jeune roi Arthur ainsi qu'une *Historia regum*

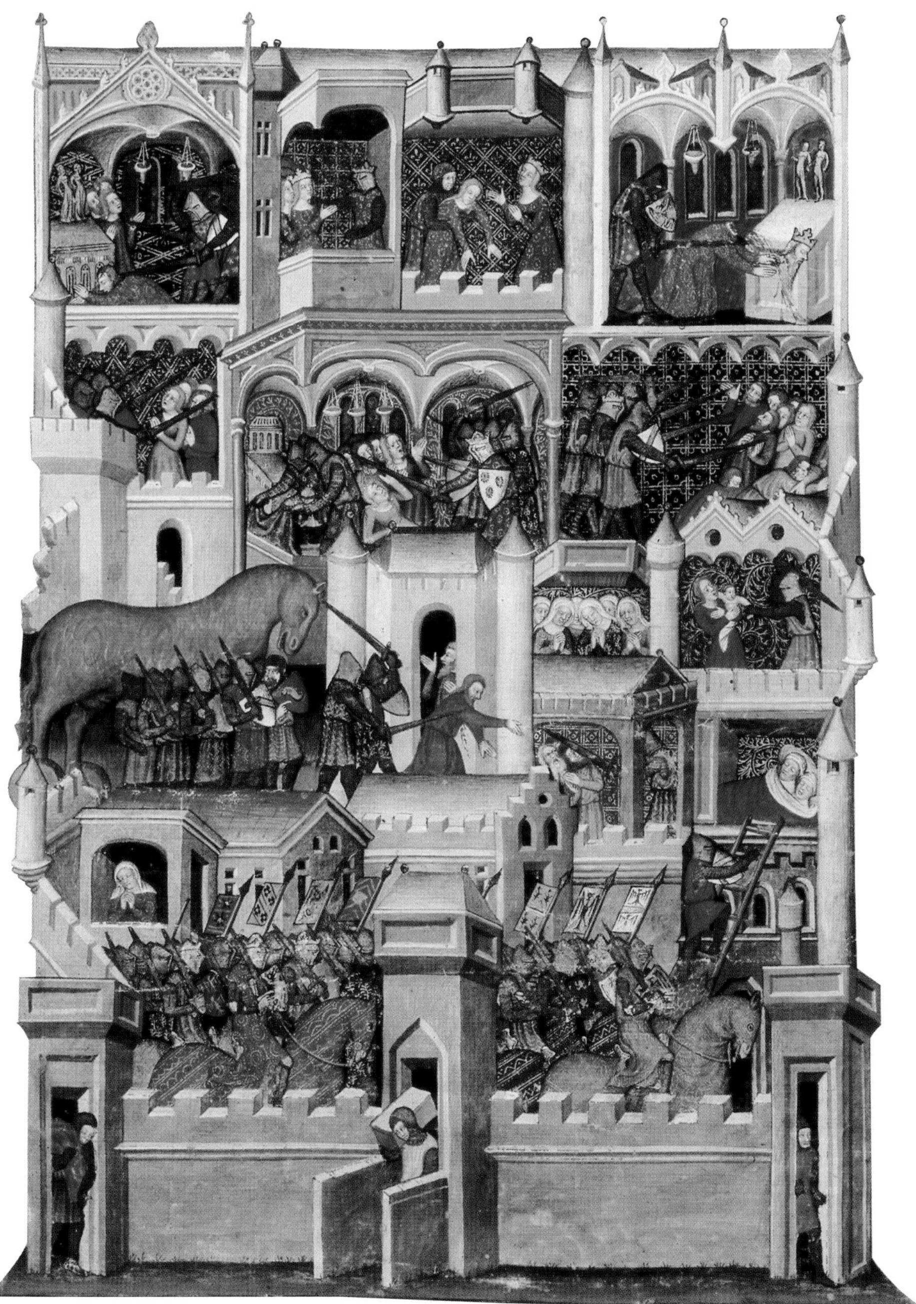

Le Cheval de Troie.
***Histoire ancienne jusqu'à César*, XIVe siècle.**
BnF, ms. fr. 301, f°. 147.

***Le Livre des Tournois du roi René,* XVe siècle.**
BnF, ms. fr. 2695, f°. 67 v°. 68.

Britanniae (« Histoire des rois de Bretagne ») qui assure la renommée universelle de la geste arthurienne auprès de la noblesse médiévale. Les deux ouvrages connaissent un immense succès et sont rapidement traduits en langue vulgaire en Angleterre, en France, en Italie et en Espagne. Wace, un chanoine de Bayeux, met par écrit la Geste des Bretons sous le nom de *Roman de Brut* et la Geste des Normands par le *Roman de Rou,* en y incorporant de nombreuses légendes arthuriennes. Béroul compose vers 1160-1170 le *Roman de Tristan,* dont la légende est reprise par Thomas dans une nouvelle version vers 1170. La matière de Bretagne trouve enfin son meilleur chantre en la personne de Chrétien de Troyes qui, avec le *Conte du Graal* écrit en 1180, *Erec et Enide* composé entre 1165 et 1170, *Cligès* en 1176, et surtout, entre 1177 et 1181, les romans de *Lancelot* et d'*Yvain,* le *Chevalier au lion,* magnifie l'ensemble de ces traditions.

La « matière de France » reprend sous une forme romanesque l'épopée carolingienne déjà mise en valeur par les chansons de geste, comme la *Chanson* de Rolland ou celle de Guillaume.

Ces approches romancées de l'histoire s'accompagnent à la fin du Moyen Age de lectures plus sérieuses. Le XIIIe siècle voit la mode des ouvrages de vulgarisation, destinés à apporter à un public profane mais curieux la somme des connaissances de son temps. Ces ouvrages, qualifiés de « miroirs »,

Trois magistrats de la ville de Limoges présentent les clefs de la place au duc de Berry. Jean Froissart, *Chroniques,* XVe siècle.
BM de Besançon, ms. 864, f°. 330 r°.

Le couronnement de Charles VI. *Grandes Chroniques de France,* XIVe siècle. BnF, ms. fr. 2813, f°. 3 v°.

sont souvent écrits par des clercs, protégés par les rois et les princes. Vincent de Beauvais en est l'exemple le plus représentatif. Ce dominicain, patronné par le roi Saint Louis, compose une immense œuvre de vulgarisation scientifique, le *Speculum Majus* (le Grand Miroir) qui tente de réunir toutes les connaissances de son temps, en matière de sciences naturelles, de mécanique, de physique, de mathématique, mais aussi d'histoire, de morale et de théologie. Le *Miroir historial* qui en est extrait est une histoire universelle du monde depuis sa création jusqu'en 1254. Il connaît un franc succès et est rapidement traduit en langue vulgaire à la demande de Jeanne de Boulogne, reine de France et femme de Philippe VI en 1333.

Ce goût pour l'histoire donne naissance aux *Grandes Chroniques de France,* confiées par Saint Louis aux moines de l'abbaye de Saint-Denis vers 1250, dont la rédaction se poursuit jusqu'à la fin du Moyen Age ; elles sont traduites en français à partir de 1274 et deviennent en quelque sorte l'histoire officielle du royaume de France. Elles connaissent elles aussi un grand succès auprès du public aristocratique, on en conserve aujourd'hui une centaine de manuscrits qui témoignent de cet engouement.

L'Amant à la recherche de la Rose.

Jean de Meun, *Roman de la Rose*, XVe siècle.

Harley ms. 4425, f°. 184 v°. The British Library, Londres.

Dame Nature donne ses ordres à Genius.

Jean de Meun, *Roman de la Rose*, XVe siècle.

Harley ms. 4425, f°. 166. The British Library, Londres.

Histoire de Cligès et Fenice.

***Roman de la Poire*, XIIIe siècle.**

BnF, ms. fr. 2186, f°. 3 v°.

Au XIIIe siècle, la littérature romanesque se diversifie en pratiquant le genre satirique avec le *Roman de Renart*, et en abordant le genre allégorique avec le *Roman de la rose*. C'est certainement l'un des ouvrages les plus lus au Moyen Age. Sa première partie, composée par Guillaume de Lorris entre 1225 et 1240, est une longue poésie courtoise et allégorique, inspirée d'Ovide et de son *Art d'aimer*. Jean de Meun poursuit le roman laissé inachevé par Guillaume de Lorris en y ajoutant des préoccupations d'ordre moral et philosophique.

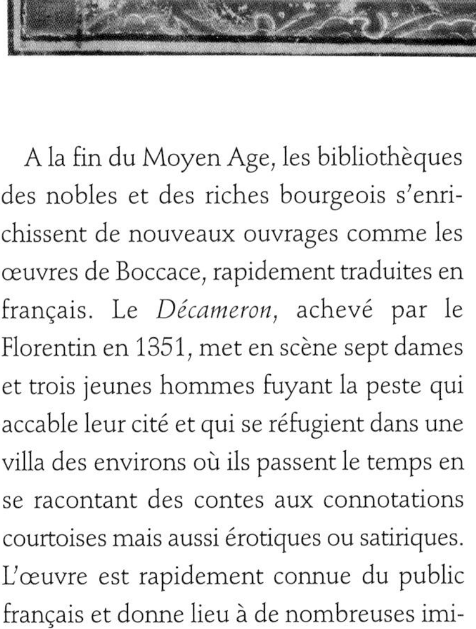

A la fin du Moyen Age, les bibliothèques des nobles et des riches bourgeois s'enrichissent de nouveaux ouvrages comme les œuvres de Boccace, rapidement traduites en français. Le *Décameron*, achevé par le Florentin en 1351, met en scène sept dames et trois jeunes hommes fuyant la peste qui accable leur cité et qui se réfugient dans une villa des environs où ils passent le temps en se racontant des contes aux connotations courtoises mais aussi érotiques ou satiriques. L'œuvre est rapidement connue du public français et donne lieu à de nombreuses imi-

tations, comme les *Cent nouvelles nouvelles* composées à la cour du duc de Bourgogne Philippe le Bon en 1462.

Les traductions de textes antiques et les premiers écrits des humanistes témoignent d'un renouveau de la culture et du passage à une autre époque.

Virgile, *Les Bucoliques*, xve siècle.

BM de Dijon, ms. 493, f°. 5 v°. Photo F. Perrodin.

Les lectures d'une princesse

Les bibliothèques de Charles V et celle de son frère, le fastueux duc de Berry, témoignent de la diversité des intérêts des lecteurs de la haute noblesse à la fin du Moyen Age. Ils possèdent des ouvrages d'auteurs antiques comme Ovide, Sénèque, Pline et Tite-Live, traduits en français, mais aussi des ouvrages didactiques et des livres de dévotion.

Un excellent exemple du contenu d'une bibliothèque princière à la fin du Moyen Age nous est fourni par l'inventaire des livres de Marguerite d'Autriche. Sur les trois cent quatre-vingt-dix manuscrits mentionnés dans celui-ci, établi à sa mort, nous avons la chance d'en conserver de nos jours cent quatre-vingt-treize, essentiellement répartis dans les bibliothèques de Bruxelles, de Vienne et de Paris.

Fille de Maximilien Ier de Habsbourg et de Marie, héritière du duché de Bourgogne, Marguerite voit le jour le 10 janvier 1480 à

Boccace, *Le Decameron*, xve siècle.

BnF, Arsenal, ms. 5070, f°. 293.

Bruxelles. Elle passe sa première enfance dans cette ville en compagnie de son frère, le futur Philippe le Beau. Elle est fiancée dès 1483 au dauphin de France Charles, âgé de 12 ans, et doit abandonner les Pays-Bas pour la France. Elle est accueillie le 22 juin 1483 au château d'Amboise. A la mort de Louis XI, le 30 août 1483, elle devient une très jeune reine de France, élevée par la régente Anne de Beaujeu. Mais les enjeux politiques font qu'elle est répudiée en 1491 par Charles VIII qui épouse Anne de Bretagne. Elle retourne aux Pays-Bas en 1493 et séjourne à Malines. Dès janvier 1495, son père entreprend de nouvelles négociations afin de la marier à l'infant Juan de Castille ; elle quitte Malines pour l'Espagne en janvier 1497 où elle épouse l'infant qui meurt peu après, le 4 octobre 1497.

Rentrée aux Pays-Bas en 1499, elle assiste à Gand en 1500 au baptême de son neveu et filleul, le futur Charles Quint. L'année suivante, elle épouse Philibert le Beau, comte de Savoie, et se rend en Savoie. Le mariage est célébré le 1er décembre 1501. La comtesse de Savoie réside à Bourg-en-Bresse ou à Pont-d'Ain jusqu'à la mort accidentelle du comte le 10 septembre 1504. Elle décide alors de faire élever en sa mémoire la splendide église de Brou dont elle pose la première pierre en août 1506. La mort de son frère Philippe le Beau la rappelle aux Pays-Bas dont elle devient la régente au nom de son neveu l'archiduc Charles en mars 1507. Marguerite s'installe à Malines et gouverne les Pays-Bas avec autant de fermeté que d'habileté. En 1518, devenu roi de Castille, Charles confie à sa tante le gouvernement de cette province de son immense empire. Tous les contemporains s'accordent pour vanter les qualités politiques de cette femme aussi volontaire qu'intelligente. Elle meurt dans son hôtel de Malines dans la nuit du 30 novembre au 1er décembre 1530. Selon ses dernières volontés, elle est enterrée en 1532 dans l'église de Brou auprès de Philibert de Savoie.

Cette princesse cultivée adore les arts, la musique et a une véritable passion pour les livres. Elle commande et achète des manuscrits tout au long de son existence. Sa collection se compose de livres qu'elle a acquis au cours de ses séjours en France, en Castille, en Savoie et aux Pays-Bas. Passionnée de livres anciens, elle possède des manuscrits très renommés, le joyau de sa collection étant les *Très Riches Heures* du duc de Berry qu'elle a acquises en Savoie.

La composition de sa bibliothèque reflète parfaitement les goûts du public cultivé à la fin du Moyen Age et au début de la Renaissance. Elle comprend bien entendu des livres religieux comme la Bible moralisée, composée à Naples vers 1340-1350 pour un membre de la famille royale d'Anjou, qui fut donnée à Marguerite enfant, lors de son séjour en France ; elle y a inscrit d'une main hésitante la liste de ses demoiselles d'honneur (BNF, ms. fr. 9561). Elle achète plus tard aux Pays-Bas une *Bible historiale* de Guyart de Moulins, déjà ancienne, composée à Paris vers 1415-1420 (Bruxelles BR, ms. 9004). Elle se fait enluminer vers 1500 dans les Pays-Bas du Sud un superbe livre d'Heures (Vienne, BN, ms. 1862).

La princesse a également acquis en Savoie un recueil de prières en latin et en français, orné vers 1496-1497 de nombreuses miniatures en grisailles (Bruxelles BR, ms. 1038). Sa collection s'enrichit de plusieurs traités de morale. Elle possède aussi une *Légende dorée* de Jacques de Voragine, copiée et enluminée à Paris au début du XVe siècle (Bruxelles BR, ms. 9226).

Marguerite d'Autriche aime la musique et sa bibliothèque offre la particularité assez rare pour une laïque de posséder plusieurs livres de chœur, avec la polyphonie de messes (Bruxelles BR, ms 15075 et 228).

Marguerite communie avec le goût de l'histoire partagé par ses contemporains.

Arrivée de Joseph et Marie à Jérusalem.
Bible moralisée de Marguerite d'Autriche, XIVe siècle.,
BnF, ms. fr. 9561, f°. 132 v°.

Elle acquiert en Savoie une *Histoire ancienne jusqu'à César,* particulièrement précieuse puisqu'elle a été composée et enluminée entre 1270 et 1280 en Terre sainte, sans doute dans le *scriptorium* de Saint-Jean-d'Acre, fondé par Saint Louis. Sa collection s'enrichit entre autres d'une *Chronique de la Bouquechardière* de Jean de Courcy, écrite par ce chevalier normand entre 1416 et 1420, qui est une vision historique et morale de l'histoire ancienne. Elle possède aussi un manuscrit intitulé *Les Faits des Romains* (Bruxelles BR, ms. 9040) et une *Fleur des Histoires* de Jean Mansel, une vaste compilation en quatre livres qui évoque l'histoire du monde depuis la Création jusqu'au règne de Charles VI, un ouvrage très en vogue à la fin du Moyen Age (Bruxelles BR, mss. 9268-9, 9255-6-7, 9260). On en conserve de nos jours plus de cinquante copies.

Marguerite d'Autriche apprécie particulièrement la « matière de Bretagne » dont elle possède de nombreux manuscrits superbement illustrés. Elle a acquis aux Pays-Bas une *Histoire du saint Graal* (Bruxelles BR, ms. 9246) et un *Roman de Merlin* qui en constitue la suite (BNF, ms. fr. 91).

Les ouvrages scientifiques et les encyclopédies sont moins représentés dans sa bibliothèque ; elle possède néanmoins un *Trésor des Sciences* de Brunetto Latini, un vulgarisateur florentin du XIIIe siècle, traduit en français (Bruxelles BR, ms. 10228).

Les auteurs modernes sont assez rares parmi ses lectures ; on trouve sans surprise le *Décameron* de Boccace, traduit en français (Paris, Bibliothèque de l'Arsenal, ms. 5070), une *Histoire de Jason* de Raoul Lefèvre (BNF, ms. fr. 12570) et le *Roman de Jean d'Avesnes*, un récit chevaleresque composé au XVe siècle (Paris, Bibliothèque de l'Arsenal, ms. 5208).

La construction de Babylone.

Jean de Courcy, *Chronique dite de la Bouquechardière,* XVe siècle.

Bibliothèque royale Albert-Ier, Bruxelles, ms.9503, f°. 2.

Page de droite

Le paradis terrestre.

Histoire ancienne jusqu'à César, XVe siècle.

Bibliothèque royale Albert-Ier, Bruxelles, ms.10.175, f°. 20.

Quant dieu eut fet le ciel & la terre et les eaues doulces & sallees & il eust a chun commende quil seruist selon son ordre. Cest q le souleil luisist le iour et p sa grant clarte enluminast tout le monde. Et la lune et les es toilles rendissent clarte a la nuit q qui estoit obscure et tenebreuse. Si fist les oyseaux et laue et les poissos en leaue et les bestes en terre de toutes manieres p sa simple parole il fist les arbres portant fruit et semence et les erbes vertes belles et plaisantes de diverses semblences. Apres il fist le premier homme et le forma a sa semblence. affin quil eust de toutes choses qui ille avoient la seigneurie. Seigneurs le premier homme que nre seigneur forma le fist il de sa simple parole sans nulle matiere si come il avoit fait les autres

L'humanisme fait son apparition en la personne de Leonardo Bruni, chancelier de la république de Florence (1369-1444) dont la princesse possède un exemplaire du *De primo bello punico,* racontant les guerres puniques, traduit en français (Paris, Bibliothèque de l'Arsenal, ms. 5086).

Sa collection se complète aussi d'un certain nombre d'ouvrages qui lui ont été dédiés par des auteurs contemporains. Elle se voit offrir aux Pays-Bas entre 1493-1497 un manuscrit intitulé *Le malheur de la France,* qui est un poème politique demandant aux sujets de Philippe le Beau de s'unir et évoque les vertus de la princesse (Bruxelles BR, ms. 11182). L'un des écrivains les plus renommés de son temps, Jean Lemaire des Belges, compose en son honneur *La couronne margaritique,* un ouvrage en prose et en vers, écrit en 1504-1505, qui célèbre les mérites de la princesse et évoque son deuil douloureux (Vienne BN, ms. 3441). *La complainte de Marguerite d'Autriche* est composée par un anonyme sur le même thème vers 1504 (Vienne BN, ms. 2584). Michele Riccio, un humaniste italien, qui a accompagné le roi Louis XII en France et est devenu l'un de ses conseillers, lui dédie *Le changement de fortune en toute prospérité* où il évoque ses infortunes successives pour en tirer une leçon morale (Vienne BN, ms. 2625). Remy du Puys retrace pour la princesse *L'entrée du prince Charles à Bruges* le 18 avril 1515 dans un superbe manuscrit, richement enluminé (Vienne BN, ms. 2591).

Tous les livres de Marguerite d'Autriche, qu'ils soient anciens ou réalisés du vivant de la princesse, ont en commun leur graphie soignée et leurs splendides décors. Le plaisir de la lecture s'allie en l'occurrence à la satisfaction de cette amatrice des arts. Texte et image paraissent en effet indissociables aux bibliophiles de la fin du Moyen Age.

Les navires romains.
Leonardo Bruni,
De primo bello punico,
XVe siècle.
BnF, Arsenal, ms. 5086, f°. 31 v°.

Portrait de Marguerite d'Autriche.
Michele Riccio,
Changement de fortune en toute prospérité,
XVIe siècle.
Bibliothèque nationale d'Autriche, Bildarchiv, ms. 2625, f°. 7 r°.

Et finablement deuons
considerer que se fortu
ne perseueroit tousiours
a ung propos et seroit

In manus tuas domine commendo spiritum meum. Redemisti me domine deus veritatis.
Dilexi quoniam ex
audiet dominus
vocem orationis mee.

DES LIVRES ET DES ARTISTES

Le livre, cet objet précieux, si prisé des collectionneurs du Moyen Age, demeure pendant de longs siècles l'un des principaux supports de l'expression artistique. Les plus grands peintres, même s'ils sont parfois restés anonymes comme le Maître de Rohan, ont contribué au décor des manuscrits. Les enluminures qui les illustrent constituent encore de nos jours l'une des grandes richesses du patrimoine artistique français, malheureusement enfermée dans les bibliothèques et qui n'est révélée au public qu'à l'occasion de trop rares expositions. Cependant, nombre de ces images peintes dans les manuscrits sont ancrées dans notre mémoire collective, et comment évoquer le Moyen Age des princes et des châteaux sans avoir immédiatement à l'esprit certaines pages du magnifique calendrier peint par les frères de Limbourg pour les *Très Riches Heures* du duc Jean de Berry.

Livres et peinture

La créativité des artistes du Moyen Age obéit à des règles bien précises dictées par les commanditaires et la pratique d'un métier codifié ; le peintre choisit rarement les sujets qu'il illustre et l'emplacement des images. Il doit se plier à des codes iconographiques, régis par les traditions, qui lui laissent peu d'autonomie. Cependant, les marges des manuscrits peuvent apparaître comme un espace de liberté qui n'existe pas dans d'autres arts figurés. Ces contraintes n'empêchent en rien un renouvellement constant des images et des styles qui font des bibliothèques possédant des manuscrits de véritables musées de la peinture médiévale.

Le travail de l'enlumineur

Il est connu grâce à une série d'ouvrages qui évoquent l'art de l'enluminure et donnent des recettes aux artistes pour fabriquer les pigments qu'ils utilisent. Le plus ancien est le traité de Théophile, un moine du XIIe siècle, *La schedula diversarum artium,* qui brosse un tableau complet des pratiques artistiques à l'époque romane et évoque assez longuement l'enluminure. Les renseignements sont encore plus précis dans deux traités italiens de la fin du Moyen Age : le *De arte illuminandi,* un ouvrage anonyme dont le manuscrit, rédigé entre 1350 et 1400, est conservé à Naples. Le peintre Cennino Cennini compose à la fin du XIVe siècle un traité sur la peinture dans lequel il consacre cinq paragraphes à l'enluminure. En France, aucun artiste n'a laissé ses conseils à ses élèves, par contre, Jean Le

L'agonisant devant son Juge.
Grandes Heures de Rohan, XVe siècle.
BnF, ms. lat. 9471, f°. 159.

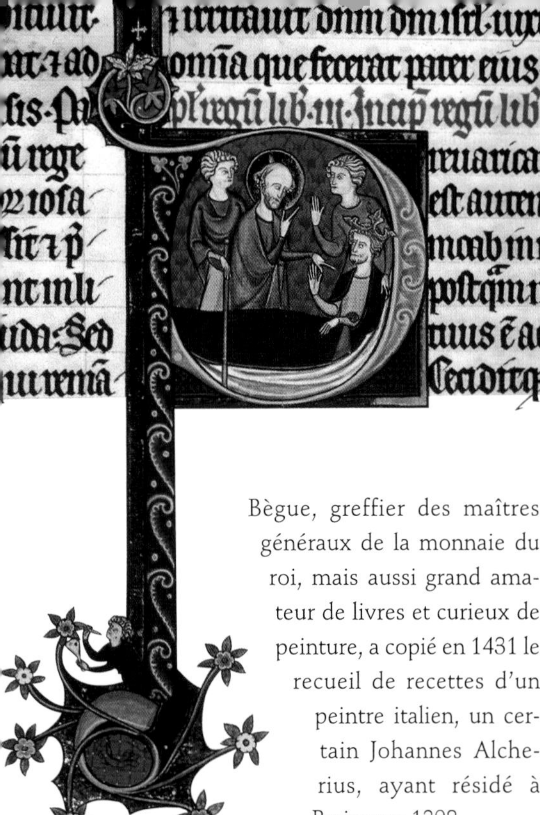

Bègue, greffier des maîtres généraux de la monnaie du roi, mais aussi grand amateur de livres et curieux de peinture, a copié en 1431 le recueil de recettes d'un peintre italien, un certain Johannes Alcherius, ayant résidé à Paris vers 1398.

L'ensemble de ces traités permet de reconstituer avec une assez grande certitude les couleurs et le matériel utilisés par les enlumineurs. Lorsque le scribe a terminé son travail d'écriture et délimité les parties à décorer, le manuscrit est confié à l'atelier d'un maître enlumineur. A la fin du Moyen Age, un contrat écrit précise ce qu'il doit réaliser. Parfois on lui demande de copier un manuscrit plus ancien qu'on lui confie pour qu'il le reproduise, il dispose aussi de précieux carnets de modèles légués au sein des ateliers d'enlumineurs. L'un d'entre eux est conservé à la bibliothèque municipale d'Evreux ; il comprend sept images destinées à l'illustration d'un psautier, figurant le roi David. Afin de faciliter le travail de l'enlumineur, le commanditaire ou le copiste laisse des notes en marge pour lui donner des indications sur le thème à représenter ; elles sont effacées lorsque le manuscrit est achevé. Quand le livre est de grande taille ou qu'il requiert une imagerie novatrice ou complexe, il peut faire l'objet d'un véritable programme iconographique, comme celui rédigé par un dominicain à l'usage de Jean Pucelle, l'enlumineur parisien chargé d'illustrer au début du XIVe siècle le *Bréviaire de Belleville* ; destiné à un couvent de dominicains, il entra ensuite en la possession de Jeanne de Belleville, femme du connétable Olivier de Clisson. Les commanditaires font appel à des hommes d'Eglise, à des théologiens souvent issus des ordres mendiants, Dominicains et Franciscains, pour réaliser de tels programmes ; ils indiquent le thème, la façon de le représenter, la place à réserver, parfois ces instructions sont accompagnées de petits dessins.

Au début du Moyen Age, entre 650 et 1100, ce type de pratique n'existe pas encore. Les moines qui copient et décorent les manuscrits liturgiques au sein des *scriptoria* ne recherchent pas l'originalité, bien au contraire. Le bon enlumineur se doit de copier des exemples célèbres et prestigieux, déjà présents dans son abbaye ou prêtés par un autre monastère. On n'a pas retrouvé de carnets de modèles pour cette période, ce qui ne veut pas dire qu'ils n'ont pas existé. En tous les cas, le rôle de l'abbé apparaît alors comme primordial dans le choix de l'iconographie et de sa réalisation.

L'apparition d'ateliers laïcs au XIIIe siècle engendre une nouvelle pratique de l'enluminure, l'usage de cahiers de modèles se généralise. Un nouvel espace se crée pour les décorateurs, celui de la marge ; elle offre une grande possibilité d'invention, un lieu de liberté laissé ouvert à l'imagination débridée de l'artiste.

A partir du XIVe siècle, le métier d'enlumineur évolue. La peinture sur panneau, qui apparaît en Italie au XIIIe siècle, se répand rapidement dans tout l'Occident, elle devient un art majeur. Elle tend à supplanter la peinture des manuscrits ; les enlumineurs ne donnent plus le ton, ils s'inspirent de plus en plus des panneaux peints. Ainsi, le célèbre Jean Pucelle, qui a sans doute voyagé en Italie, s'est fortement inspiré de la peinture siennoise du début du

Bible, XIVe siècle.

Ms. lat. 40, folio 83 v, document bibliothèque municipale de Reims, France.

Carnet de modèles de dessins pour un psautier.

Médiathèque d'Evreux, fonds ancien, ms. lat. 4, f°. 136 v°.

Photo ville d'Evreux.

Trecento. Dans l'une de ses miniatures des *Heures de Jeanne d'Evreux*, vers 1315-1318, il copie la *Maestà* de Duccio, le retable du maître-autel de la cathédrale de Sienne, terminé fort peu de temps auparavant, en 1312. Cette rapidité n'est guère surprenante si l'on se rappelle que nombre d'artistes sont également peintres et enlumineurs comme Jean Fouquet. Les deux professions ne sont pas toujours distinctes et cohabitent souvent au sein de la même corporation.

La mobilité des enlumineurs s'accroît, les artistes échangent leurs expériences. Paris est devenu au XIVe siècle une véritable place internationale qui attire des enlumineurs venus de Flandre et d'Italie. Par son format, le livre se prête bien au commerce de luxe entre le nord et le sud de l'Europe. La ville de Bruges devient ainsi un grand centre de fabrication de manuscrits, en particulier des livres d'Heures, qui sont vendus dans toute l'Europe à un public aristocratique ou bourgeois. A la fin du Moyen Age, l'invention de la gravure sur bois, puis sur cuivre, permet la diffusion à bon marché des modèles peints. La vogue des manuscrits enluminés est alors à son comble, la production tend à se standardiser pour répondre plus rapidement et à moindre coût à une très forte demande, on assiste à une division du travail au sein des ateliers : l'enlumineur de lettres qui est parfois le scribe, l'enlumineur des bordures, et l'*historieur* qui réalise les scènes historiées.

Une fois le manuscrit écrit, le livre est confié au *miniator* qui décore les marges et les initiales, puis le peintre d'*ystoires* trace son dessin en utilisant un modèle ; il passe ensuite les couleurs à l'eau ou il utilise une gouache plus épaisse, dont le pigment est délayé dans de l'eau additionnée de gomme arabique ou de blanc d'œuf. Ses couleurs sont d'origine minérale ou végétale : le blanc, appelé céruse, est un carbonate de plomb, le bleu est la couleur la plus appréciée à la fin du Moyen Age. Dans son traité de peinture, Cennino Cennini en fait un éloge vibrant : « Le bleu outremer est une couleur noble, belle et parfaite au-delà de toutes les autres et tout ce qu'on pourrait dire à sa louange ne serait qu'en dessous de ses mérites. » Cependant, les enlumineurs hésitent à l'utiliser en raison de son prix car il est fabriqué à partir d'une pierre semi-précieuse venue d'Orient, le lapis-lazuli. Il existe des pigments bleus moins chers, mais moins éclatants, produits à base de cuivre ou de végétaux, comme les violettes ou les bleuets. Le vert est aussi une déclinaison de l'oxyde de cuivre ou bien un vert de prunelle. Le rouge, *minium*, est un oxyde de fer ou de plomb, ou encore, le cinabre, un sulfure de mercure. Les ocres et bruns sont des couleurs de terre, le jaune, appelé l'orpiment, est un sulfure d'arsenic. Les couleurs passées, le peintre peut donner du volume à sa composition par le biais de fines hachures dorées qui créent des zones de lumière et par contraste d'ombre dans les drapés des vêtements.

***Commentaire de l'Apocalypse,* Saint-Sever, XIe siècle.**

BnF, ms. lat. 8878, f°. 145 v°.

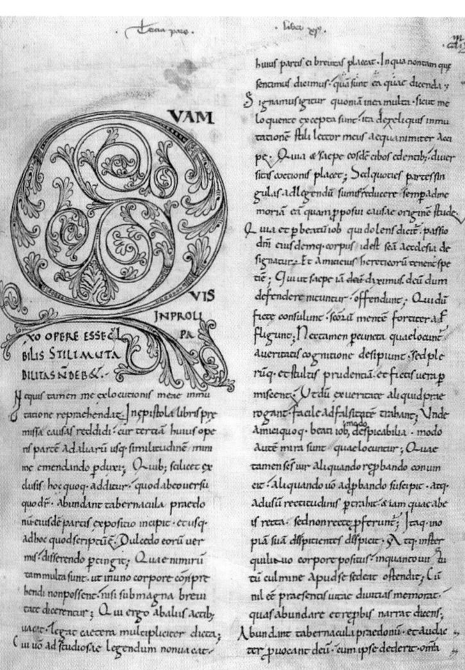

Saint Grégoire le Grand, *Moralia in Job*, XIIe siècle.

BM d'Avranches, ms. 97, f°. 188.

La part de l'illustration

Le peintre de manuscrit dispose d'espaces de taille et de statut variés pour accomplir son œuvre d'illustration. Le décor du livre commence le plus souvent par la réalisation des lettres ou des initiales qui rythment les principales divisions du texte. Le scribe en a parfois tracé les contours, laissant à l'enlumineur le soin de les orner.

Les premiers siècles du Moyen Age donnent la priorité au texte sacré. Les manuscrits composés dans les *scriptoria* monastiques ne sont pas toujours dotés de peintures. Celles-ci sont présentes dans les exemplaires de luxe, les grands volumes placés sur des lutrins dans le chœur de l'église abbatiale. Le plus souvent, l'image est insérée dans le texte de la colonne, souvent

Page de droite

Florus, *Commentaire sur les épîtres de saint Paul*, XIIe siècle.

BnF, ms. lat. 11575, f°. 1 r°.

PAULUS SERVUS XPI IHESU
uocatus apls segregatus in euuangelium di qd
ante promiserat p pphas suos in scripturis scis
de filio suo qui factus e. ei ex semine dauid
secdm carnem: qui pdestinatus e. filius di in uir
tute. secdm spm scificationis ex resurrectione
mortuorum ihu xpi domini nri. Ex libro
Paulus apls. Qui cum [de spu et litta.]
saulus prius uocaretur: n ob aliud qntu
cum m uidetur hoc nomen elegit n ut se
ostenderet paruum tanqm minimu aplorum.
Multum contra supbos et arrogantes.
et de suis opib: psumentes p commendan
da di gra fortit atq: acrit dimicat: quia
re uera in illo euidentior et clarior apparu
it. qui cum talia operaretur: uehement eccli
am di psequens p quib: summo supplicio di
gnus fuit. misedia p dampnatione susce
pit: et p pena consecutus est gram. Merito
pro eius defensione clamat atq: concertat.
Nec in re pfunda et nimis abdita minus
intelligentiu et uba sua sana inpuisum sen
sum detorquentium curat inuidiam: du
tamen incunctant predicet donum di. quo
uno salui fiunt filii pmissionis. filii benefi
cii diuini. filii gre et misedie. filii testamti
noui. Primum quod omnis eius salutatio
sic se habet. Gra nobis et pax a do patre nro
et domino ihu xpo. Deinde ad romanos.
pene ipsa questio sola usatur tam pugnaci
ter. tam multiplicit. ut fatiget quide legen
tis intentionem: s tam fatigatione utili ac
salubri. ut interioris hominis magis exerceat

1

membra quam frangat. Ex tractatu psalmi. LXX. II.
Memento de synagoga fuisse arietes. quorum filii sum.
Unde dr in psalmo. Afferte dno filios arietum. Qui
inde arietes? Petrus. iohes. iacob: andreas. bartolo
meus. et ceti apli. Hinc et ipse primo saulus. postea
paulus. id est pmo supb: postea humilis. Saulus
enim dictus e. Nomen saul nostis: quia rex supbus
et infrenis fuit. Non quasi iactantia aliqua nomen
mutauit apls. s ex saulo factus e. paulus. ex supbo
modicus. Paulum enim modicum est. Vis nosse quid
sit saulus? Ipsum audi iam paulum. recordantem
quid iam fuerit. p maliciam suam: et quid iam sit p
gram di. Audi quo m fuerit saulus: et quomodo sit
paulus. Qui fui prius inquit blasphemus et psecutor
et iniuriosus. Audisti saulum: audi et paulum.
Ego enim sum inquit minimus aplorum. Quid est
minimus. nisi ego sum paulus? Et sequit. Qui non
sum dignus uocari apls. Quare? Quia fui saulus. Qd
est fui saulus? Ipse dicat. Quia psecutus sum inquit
ecclesiam di. S: gra di au sum quod sum. Abstulit sibi
omnem granditate suam. Minimus iam in se: gran
dis in xpo. Ex sermone de aplo paulo.
Iste uas electionis. primo saul a saule. Recordamini eni
qui nostis litteras di. quis erat saul. Rex pessimus. p
secutor di serui sci dauid: et ipse sumemus istis de tribu
beniamin. Inde iste saulus ducto secum tramite se
uiendi: s in seuitia n pmansurus. Postea si saulus
a saule: paulus unde? Saulus a rege seuo. cum supbus
cum seuiens. cum cedes anhelans. Paulus aute unde?
Paulus. quia modicus. Paulus humilitatis nomen est.
Paulus postea quam adductus est ad magistrum q ait.
discite a me quia mitis sum et humilis corde. Inde paul?
[faint, partly erased lines]
Audi g paulum. Ego sum minimus aplorum. Pror
sus ego sum inquit minimus aplorum. Et alio loco. Ego
sum nouissimus aplorum. Et minimus et nouissim:
tanquam fimbria de uestimento di. Quid tam ex
guum qntu fimbria? Hac tamen tacta: mulier a flu
xu sanguinis sanata e. In modico isto magnus erat.
in minimo grandis habitabat: et tanto minus a se
magnum excludebat. qnto magis minor erat. Quid
miramur magnum habitare in angusto? Magis
in minimis habitat. Audi illum dicente. Sup que
requiescit sps meus? Sup humilem et quietum. et
trementem uba mea. Ideo altus habitat in humili:
ut humilem exaltet. Excelsus e. dns et humilia res
picit. excelsa aute a longe cognoscit. Humilia te.

Détails des marges.

Livre d'Heures, XVe siècle.

BM de Laon, ms. 243 (3).

placée au début du récit qu'elle illustre, au-dessus de l'initiale ornée qui amorce le texte, plus rarement elle peut s'étaler sur deux colonnes. L'époque romane privilégie l'emploi des lettres ornées de motifs végétaux ou animaliers, mais aussi des lettres historiées qui évoquent de véritables scènes, parfois sans rapport avec le texte qu'elles accompagnent. De la lettre s'échappe une longue baguette qui descend jusqu'à la base de la page ; ornée de feuillages, elle abrite au XIIe siècle de véritables scènes. Le T donne le prétexte à la représentation de la Crucifixion, les I permettent de figurer des statues de saints. Les O, P et Q abritent dans leurs panses les représentations les plus variées.

A partir du XIIIe siècle, cette décoration attachée à la lettrine prend son indépendance et emplit désormais tout l'espace marginal tandis que les initiales se font plus sobres et stéréotypées. La décoration des marges atteint une sorte d'apogée dans l'exubérance au XIVe siècle en France et en Angleterre. Elle juxtapose les motifs sacrés et profanes, les thèmes prosaïques et grivois. La marge apparaît alors comme un véritable espace de liberté, laissé ouvert à l'imagination des enlumineurs, mais non dénué de sens. Ils la décorent de motifs végétaux et animaliers comme les « babouineries » ; ils s'inspirent aussi de proverbes, de jeux de mots et d'historiettes pour y dépeindre des scènes de la vie quotidienne ou du répertoire comique, fantastique ou moralisateur. Au XVe siècle, la décoration des marges est gagnée par une certaine standardisation, les feuilles d'acanthe ou de vigne deviennent omniprésentes, ainsi que les semis de fleurs et les symboles héraldiques que les commanditaires se plaisent à multiplier.

Lorsque l'enlumineur des lettres et celui des marges ont achevé leur travail, c'est au tour du peintre d'*ystoires* de compléter la décoration du manuscrit par des peintures à pleine ou demi-page. Le format rectangulaire du livre offre à l'enlumineur l'occasion de réaliser une véritable composition picturale. Ces peintures à pleine page sont déjà présentes dans les plus anciens manuscrits comme les évangéliaires. A l'époque carolingienne, elles représentent le plus souvent le portrait de l'évangéliste dont elles illustrent le livre ou encore celui de l'empereur ou du roi destinataire du manuscrit. Ces personnages sont présentés dans un cadre architectural à l'imitation des poètes ou de philosophes de l'Antiquité.

Les enlumineurs des manuscrits romans ou gothiques les utilisent pour mettre en valeur des scènes de la vie du Christ, de la Vierge et des saints. Elles offrent parfois l'occasion aux plus grands artistes de s'exprimer dans de grandes compositions à la fin du Moyen Age. Ainsi, Jean Fouquet réalise l'un des chefs-d'œuvre de la peinture française du Moyen Age dans les *Heures d'Etienne Chevalier*. Pour ce riche commanditaire proche du roi Charles VII, mort en 1474, il peint un véritable diptyque sur une double page. Le donateur est agenouillé sur la page de gauche, il est présenté à la Vierge à l'Enfant par le chœur des anges et son saint patron. Afin de les mettre en relief, ces peintures à pleine page sont entourées à la fin du Moyen Age d'un cadre architectural à la manière d'un retable. Ces compositions sont alors perçues comme des œuvres d'art à part entière dont les amateurs de peinture sont friands. Il existe à la fin du Moyen Age un marché pour les enluminures peintes sur des feuilles volantes, réalisées sans lien avec un manuscrit.

Le lion de saint Marc.
***Evangéliaire d'Echternach*, VIIIe siècle.**
BnF, ms. lat. 9389, f°. 75 v°.

L'Homme, symbole de l'évangéliste Matthieu.
***Evangéliaire d'Echternach*, VIIIe siècle.**
BnF, ms. lat. 9389, f°. 18 v°.

L'enluminure médiévale

Les premiers enlumineurs

La peinture est déjà bien présente au début du Moyen Age dans les plus anciens manuscrits conservés, souvent originaires des îles anglo-saxonnes.

L'Irlande est évangélisée au Ve siècle par saint Patrick ; le christianisme irlandais se concentre à l'origine autour de quelques monastères prestigieux, centres d'art et de culture qui produisent les premiers manuscrits enluminés du Moyen Age. Les *scriptoria* de Iona, Lindisfarne ou Durrow ont réalisé de superbes évangéliaires, copiés dans l'écriture dite « semi-onciale », ils sont décorés de dessins géométriques, d'entrelacs celtes et de spirales. En tête de chaque évangile, les peintres donnent la mesure de leur talent de décorateurs dans les « pages-tapis ». Les *Evangiles d'Echternach*, un monastère fondé en Germanie par l'Anglais Wilibrord en 698, furent sans doute amenés par lui d'Angleterre vers 710. Elles sont aujourd'hui conservées à la Bibliothèque nationale de France (BNF, ms. lat. 9389). Elles présentent les quatre symboles des évangélistes, en tête de chacun de leur texte. Dans ces peintures à pleine page, la figure humaine est traitée elle aussi de façon décorative et réduite à une série d'entrelacs, comme le montre le portrait de l'homme de Matthieu (f° 18 v°).

Une page illustrée.

Sacramentaire de Gellone, IXe siècle.

BnF, ms. lat. 12048, f°. 106 r°.

La Crucifixion.

Sacramentaire de Gellone, IXe siècle.

BnF, ms. lat. 12048, f°. 143 v°.

Les missions de moines irlandais et anglais sur le continent permettent à la Gaule mérovingienne d'entrer en contact avec ce style si particulier. Son influence se fait sentir dans les premiers manuscrits décorés dans l'est de la Gaule, au monastère de Luxeuil, fondé par l'irlandais Colomban. On y constate un goût partagé pour les couleurs vives et les entrelacs dans le *Lectionnaire de Luxeuil.* Les manuscrits copiés et enluminés dans le monastère de Corbie au nord-ouest de la Gaule subissent les mêmes influences (BN Saint Ambroise, *Hexaemeron,* ms. lat. 12135 f° 1 v°). Le décor de ces livres se concentre dans les grandes initiales, composées d'un répertoire animalier d'oiseaux et de poissons.

Les deux derniers chefs-d'œuvre de l'enluminure de la fin de l'époque mérovingienne sont sans aucun doute le *Sacramentaire*

Psautier de Corbie,
IXe siècle.
Bibliothèques d'Amiens-Métropole, ms. 18, f°. 46 t.
CNRS-IRHT.

de Gellone, décoré aux environs de Meaux vers 800 (BNF, ms. lat. 12048) et son contemporain, le *Psautier de Corbie* (Amiens, BM, ms. 18). Le premier présente de magnifiques initiales, fortement inspirées par l'art insulaire, mais aussi des compositions originales, en particulier une Crucifixion inscrite dans le T du *Te Igitur* du canon de la messe et une belle représentation de la Vierge. Le *Psautier de Corbie* annonce la renaissance carolingienne en s'inspirant des motifs décoratifs des sarcophages romains (f° 46 r°).

Charlemagne, soucieux d'affirmer la dignité de son empire, instaure une rénovation de l'écriture, privilégiant une graphie plus ronde et plus lisible qui prend son nom, la caroline ; il encourage les *scriptoria* à réviser leurs manuscrits, à corriger leur latin et à les recopier de manière plus somptueuse. Les arts de la couleur accompagnent ce renouveau culturel. Les *scriptoria* deviennent des centres de peinture, fortement inspirés de l'Antiquité.

La Vierge ou l'Eglise.
Sacramentaire de Gellone,
IXe siècle.
BnF, ms. lat. 12048, f°. 1 v°.

Saint Luc.

***Evangéliaire de Godescalc,* IXe siècle.**

BnF, ms. nouv. acqu. lat. 1203, f°. 1 r°.

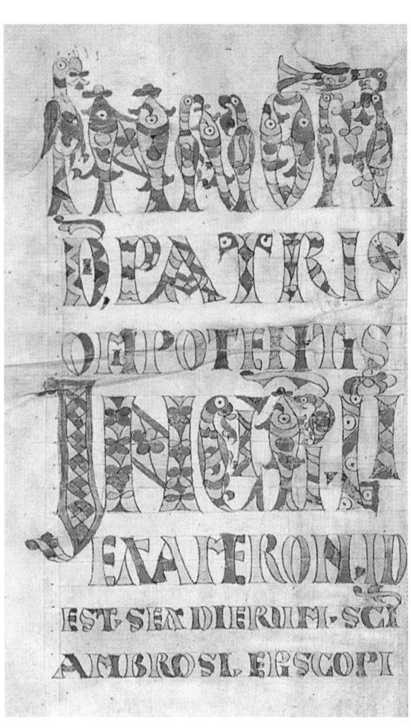

Saint Ambroise, *Hexaemeron*, IXe siècle.

BnF, ms. lat. 12135, f°. 1 v°.

L'empereur confie au scribe Godescalc la réalisation d'un *Evangéliaire*, achevé avant 783 (BNF, nouv. acq. lat. 1203). Pour son décor, le peintre s'est inspiré de modèles byzantins, il importe en Occident un motif iconographique inconnu jusque-là, celui de la Fontaine de Vie, une image allégorique du Christ qui connaît par la suite un grand succès dans les manuscrits carolingiens (*Evangiles de saint Médard de Soissons,* BNF, ms. lat. 8850). Les évangélistes sont représentés dans une posture réaliste, conforme à la tradition gréco-romaine qui n'a plus rien de commun avec l'abstraction de leurs homologues celtiques (BNF, nouv. acq. lat. 1203, f° 1 r° Saint Matthieu). A partir de 795, la passionde Charlemagne pour les livres bénéficie de la présence d'un atelier de copie et d'enluminure installé dans l'enceinte du palais d'Aix-la-Chapelle. Les *Evangiles de saint Médard de Soissons* donnés par l'empereur Louis le Pieux à ce monastère sont issus de ce *scriptorium,* ils ont été réalisés à l'époque de son père Charlemagne et témoignent de l'art de cour qui s'épanouit à Aix-la-Chapelle. La représentation de la Fontaine de Vie y atteint une expression classique, fortement influencée par des modèles de l'antiquité gréco-romaine. Sous Louis le Pieux (814-840), le palais d'Aix-la-Chapelle demeure un grand centre d'enluminure, mais il n'est plus le seul.

Ebbon, frère de lait de l'empereur, archevêque de Reims depuis 816, installe dans son abbaye d'Hautvillers, près d'Epernay, un

Saint Matthieu.
***Evangéliaire d'Ebbon*,**
IXe siècle.
BM d'Epernay, ms. 1, f°. 18 v°.

scriptorium qui produit de nombreux chefs-d'œuvre de l'enluminure carolingienne, comme les *Evangiles d'Ebbon*, conservés à la bibliothèque municipale d'Epernay (Epernay, BM, ms. 1). Réalisés pour l'archevêque avant 823, ils sont décorés de portraits des quatre évangélistes, marqués par l'influence antique, mais aisément identifiables grâce à leur style nerveux. En 845, Hincmar succède à Ebbon à la tête de l'archevêché de Reims, les *Evangiles d'Hincmar* (Reims, BM, ms. 7) marquent la fin de la grande époque du *scriptorium* champenois.

L'abbaye de Saint-Martin de Tours est le deuxième centre de l'enluminure carolingienne. Charlemagne y a placé à la tête des moines son conseiller d'origine anglaise Alcuin (796-804). Cet érudit, grand inspirateur de la renaissance carolingienne, a ravivé le *scriptorium* du monastère, pourtant son abbatiat est marqué par la production de manuscrits sobres, peu enluminés. C'est sous celui de Vivien (843-851) que l'école d'enluminure de Tours connaît son apogée. La grande *Bible* réalisée pour Charles le Chauve, fils de Louis le Pieux et roi de Francie (BNF, ms. lat. 1), est décorée d'une page de frontispice qui montre l'abbé présentant le manuscrit au roi, trônant dans toute sa majesté. Les *Evangiles de Lothaire* sont également réalisés à Tours entre 849 et 851, ils présentent un portrait de Lothaire (BNF, ms. lat. 266) assis sur son trône entouré de deux soldats, inspirés de modèles romains. Ce manuscrit a sans doute été peint par un enlumineur originaire du *scriptorium* de Reims qui a également participé à la décoration de la *Bible de Charles le Chauve* et du *Psautier* du même roi où il réalise également un portrait du souverain en majesté (BNF, ms. lat. 1152, f° 3 v°).

Le dernier grand centre de peinture carolingienne est celui de Metz sous l'égide de Drogon, un fils naturel de Charlemagne, devenu évêque de cette cité de 826 à 855. Il fait réaliser un Sacramentaire, très proche par son style du *scriptorium* de Reims (BNF, ms. lat. 9428). Ce manuscrit témoigne des derniers feux de l'enluminure carolingienne.

La décomposition de l'empire sous le coup des luttes intestines et des invasions

A gauche
L'abbé Vivien offre la Bible au roi Charles le Chauve.
***Bible de Charles le Chauve*, IXe siècle.**
BnF, ms. lat. 1, f°. 423 v°.

A droite
L'empereur Lothaire.
***Evangiles de Lothaire*,**
IXe siècle.
BnF, ms. lat. 266, f°. 3 v°.

CUM SEDEAT KAROLUS MAGNO CORONATUS HONORE
EST IOSIAE SIMILIS PARQUE THEODOSIO

Les Saintes Femmes au Tombeau.
Sacramentaire de Drogon, IXe siècle.
BnF, ms. lat. 9428, f°. 58.

normandes, la disparition des grands mécènes, mettent fin à l'activité des ateliers d'enluminure les plus prestigieux. Les attaques répétées des Vikings contre les monastères contraignent les communautés à l'errance, dispersant les hommes et les manuscrits ; le Xe siècle n'est guère le temps des livres !

Les manuscrits et l'art roman

Le Saint Empire romain germanique, fondé par Otton Ier, perpétue la tradition carolingienne dans des ateliers prestigieux d'enluminure installés dans les monastères de Reichenau, Echternach, Fulda, Hildesheim ou Saint-Gall et dans les évêchés de Cologne, Trèves, Ratisbonne, Salzbourg.

En France, à la même époque, l'art carolingien de la peinture des manuscrits disparaît sous les coups des Vikings. Les bibliothèques et les *scriptoria* sont dispersés ; la seconde moitié du Xe siècle est marquée par un déclin artistique qui se caractérise par le retour à un art très stylisé, assez proche des enluminures précarolingiennes et insulaires, privilégiant les motifs géométriques et abstraits.

Le XIe siècle voit la réforme des monastères de Francie sous l'égide de Cluny et le renouveau de leurs *scriptoria*. Les débuts de

Page de gauche
Le roi Charles le Chauve.
Psautier de Charles le Chauve, IXe siècle.
BnF, ms. lat. 1152, f°. 3 v°.

l'art roman sont marqués, dans le domaine de l'enluminure, par la variété des styles et la vigueur des particularismes locaux. Pour commencer, les peintres des manuscrits s'inspirent beaucoup des modèles fournis par les régions les plus proches : ainsi la Bretagne connaît une forte influence de l'Angleterre, un ascendant qui s'étend sur tout le nord-ouest de la France. L'enluminure mozarabe, réfugiée dans les petits royaumes chrétiens du nord de la péninsule Ibérique, apporte ses couleurs vives et ses motifs si particuliers à celle du sud-ouest de la France, celle de l'enluminure italienne rayonne sur les régions du sud-est et de l'est. Après cette phase d'assimilation, les ateliers d'enlumineurs créent leur propre style et développent des caractères originaux. Ils privilégient le décor de la lettre ornée et historiée, ce qui n'exclut pas la présence d'enluminures en pleine page.

Dans le sud du royaume, le centre artistique le plus important est sans conteste celui de Limoges qui bénéficie de la présence de deux ateliers rivaux, mais proches par le style : celui du monastère de Saint-Martial et le *scriptorium* attaché à la cathédrale Saint-

La Pentecôte.
Lectionnaire de Cluny,
XIe siècle.
BnF, nouv. acqu. lat. 2246, f°. 79 v°.

Saint Thomas.

Lectionnaire de Saint-Martial de Limoges, fin Xe siècle.

BnF, ms. lat. 5301, f°. 279 v°.

rencontré à Cluny, le second est beaucoup plus libre et imaginatif.

Cet art aquitain se retrouve dans un *Graduel de Saint-Michel de Gaillac* (BNF, ms. lat. 776) et un tropaire-prosier de la région d'Auch, décoré de personnages de jongleurs et de danseurs (milieu du XIe siècle, BNF, ms. lat. 1118). Plus au sud, l'abbaye de Saint-Etienne. Le monastère bénédictin de Saint-Martial produit vers l'an mille un ensemble de superbes manuscrits, en particulier un *Lectionnaire* (BNF, ms. lat. 5301), puis, sous l'abbatiat d'Adhémar (1063-1114), une *Bible*, considérée comme l'un des chefs-d'œuvre de l'enluminure romane. Le texte de cet ouvrage de grande taille (540 millimètres sur 395) est disposé sur deux colonnes, enrichi par un décor varié d'initiales ornées et historiées. Deux enlumineurs ont participé à sa peinture : le premier est influencé par un répertoire d'origine romaine qu'il a peut-être

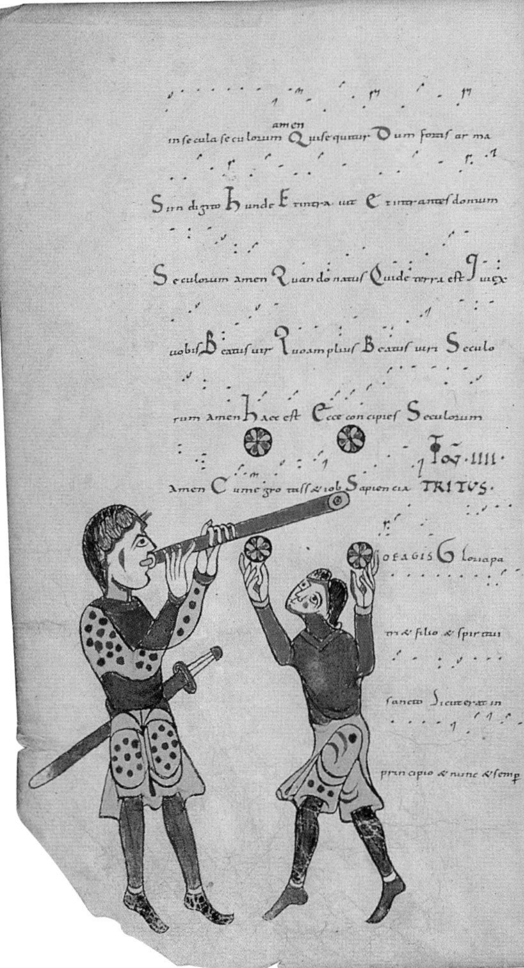

Musicien et jongleur.

Tropaire-Prosier d'Auch, milieu XIe siècle.

BnF, ms. lat. 1118, f°. 107 v°.

Combat de l'oiseau et du serpent.

Commentaire de l'Apocalypse de Saint-Sever, XIe siècle.

BnF, ms. lat. 8878, f°. 13.

Sever en Gascogne dispose d'un *scriptorium,* actif sous l'abbatiat de Grégoire Muntaner (1028-1072), dont le chef-d'œuvre est sans conteste un *Commentaire de l'Apocalypse*, composé par le moine Beatus de Liebana au VIIIe siècle, le seul manuscrit de ce type copié et enluminé au nord des Pyrénées (BNF, ms. lat. 8878). Il s'inspire fortement des modèles ibériques et, en particulier, de l'art mozarabe dont il reprend les couleurs éclatantes et les formes architecturales empruntées à l'art de l'Islam. Le peintre Stephanus Garsia a tracé son nom sur le manuscrit, mais il ne fut pas le seul à réaliser ce chef-d'œuvre de l'enluminure

Babylone.

Commentaire de l'Apocalypse de Saint-Sever, XIe siècle.

BnF, ms. lat. 8878, f°. 217.

La vision de saint Jean.

Commentaire de l'Apocalypse de Saint-Sever, XIe siècle.

BnF, ms. lat. 8878, f°. 121 v°. 122.

Vierge trônant.
Bible de l'abbaye de Fleury, XIIe siècle
Médiathèque d'Orléans, ms 13, f°. 95.
Photo CNRS-IRHT.

romane, son décor est dû à la collaboration de plusieurs mains.

Plus au nord, sur la Loire, l'abbaye de Fleury est un grand centre artistique sous l'abbatiat de Gauzlin, fils naturel d'Hugues Capet, demi-frère du roi Robert le Pieux qui se veut un grand mécène. Le peintre lombard Nivardus réalise pour l'abbé un Evangéliaire d'apparat, écrit en lettres d'or et d'argent sur un parchemin teinté de pourpre (BNF, ms. lat. 1126). L'enluminure du domaine capétien est moins connue, sans doute en partie à cause des destructions ultérieures, mais aussi parce que la région ne dispose pas de très grands ateliers, en dehors de ceux de l'abbaye de Saint-Père de Chartres et de Saint-Denis. Il faut sans doute situer à Troyes la réalisation et la décoration de la très belle *Bible* dite *des Capucins* de Paris en quatre volumes (BNF, ms. lat. 16746). Elle s'orne de très riches initiales historiées comme celle qui s'illustre de l'arbre de Jessé, et qui nous offre un témoignage éclatant de l'habileté des artistes à la fin de l'époque romane (v. 1170-1180).

Dans le nord du royaume capétien, région de tradition carolingienne, les grands monastères, particulièrement affectés par les raids des Vikings, reprennent naissance autour de l'an mille. Odbert, abbé de Saint-Bertin (986-v. 1007), encourage la floraison du *scriptorium* de son monastère par la commande de nombreux manuscrits dont une *Vie de saint Bertin* (Boulogne, BM, ms. 107), des Evangiles et surtout un Psautier auquel il donne son nom et dont la réalisation marque l'apogée de l'art des enlumineurs de Saint-Bertin (Boulogne, BM, ms. 20). L'autre grand centre d'enluminure est l'abbaye Saint-Vaast d'Arras qui s'épanouit dans le deuxième quart du XIe siècle. La Grande Bible qui y est enluminée témoigne de la permanence des traditions carolingiennes dans l'art roman du nord-ouest de la France, mais aussi des fortes influences venues d'Angleterre qui s'illustrent par un goût pour les entrelacs (Arras, BM, ms. 559). L'abbaye de Saint-Amand de Valenciennes est aussi un grand centre de l'enluminure romane, dont le chef-d'œuvre est une *Vie de saint Amand*, dotée d'un programme iconographique exceptionnellement riche de quarante-deux peintures (Valenciennes, BM, ms. 502).

L'enluminure connaît une grande vitalité en Normandie au XIe siècle grâce au dynamisme politique, économique et culturel du duché. La conquête de l'Angleterre par le duc Guillaume en 1066 n'est pas sans conséquence sur les échanges artistiques des deux côtés de la Manche. Les trois grandes abbayes du duché, Fécamp, Jumièges et le Mont-Saint-Michel, réformées vers l'an mille par Guillaume de

Début du *Deutéronome*.
Bible de l'abbaye de Saint-Vaast d'Arras, XIe siècle.
BM d'Arras, ms. 559 (vol. 1), f°. 53 v°.

Les moines Rainaud et Olivier ont copié et illustré le manuscrit.
Raban Maur, *De laudibus sancte Crucis*, XIe siècle.
BM de Douai, photo Daniel Lefebvre.

Scènes de la vie de David.
Bible de Souvigny,
XIIe siècle.
Médiathèque de Moulins, ms. 1, f°. 93.
Photo CRDP d'Auvergne.

Volpiano, disposent de *scriptoria* très actifs au milieu du XIe siècle. Leur style est d'abord fortement influencé par l'enluminure anglaise, mais vers 1100, il se dégage de cette attraction et développe des formes originales. L'atelier du Mont-Saint-Michel privilégie des compositions sobres, tracées à la plume et légèrement colorées où dominent les couleurs froides, en particulier les verts et les bleus. Elles se caractérisent par un style nerveux, un peu linéaire. L'essentiel du décor se concentre dans les initiales historiées, les pleines pages sont rares. Les initiales, composées d'entrelacs, se peuplent d'animaux et de personnages s'agrippant aux motifs végétaux dans des postures souvent acrobatiques. Le début du XIIe siècle voit le déclin des *scriptoria* normands. L'accession au pouvoir de la nouvelle dynastie des Plantagenêts déplace les centres du pouvoir vers l'Angleterre et les régions d'Anjou et du Poitou dont ils sont originaires. Ces dernières connaissent alors une floraison de l'enluminure.

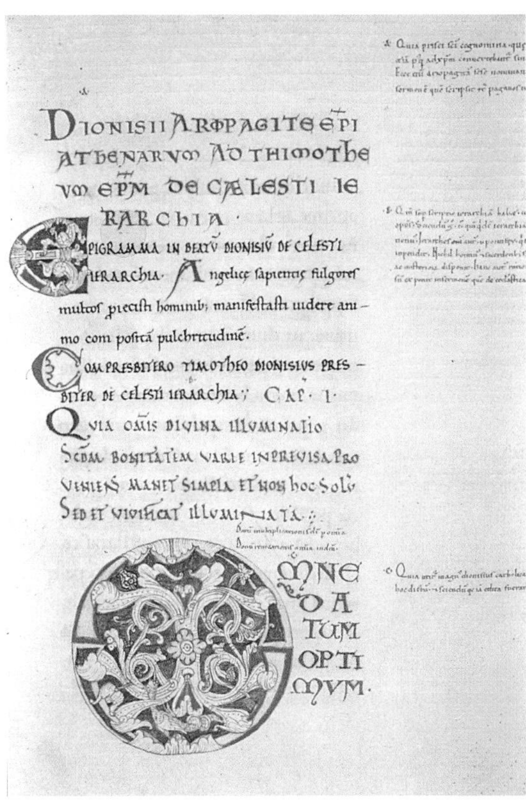

Œuvres de saint Denis l'Aéropagite, XIIe siècle.
BM d'Avranches, ms. 47, f°. 15.

Au XIIe siècle, les ateliers européens entrent en contact avec la peinture byzantine, découverte à l'occasion des croisades et à l'influence du royaume normand de Sicile. Cette rencontre donne naissance à un nouveau style marqué par une plus grande homogénéité qui se traduit par une cer-

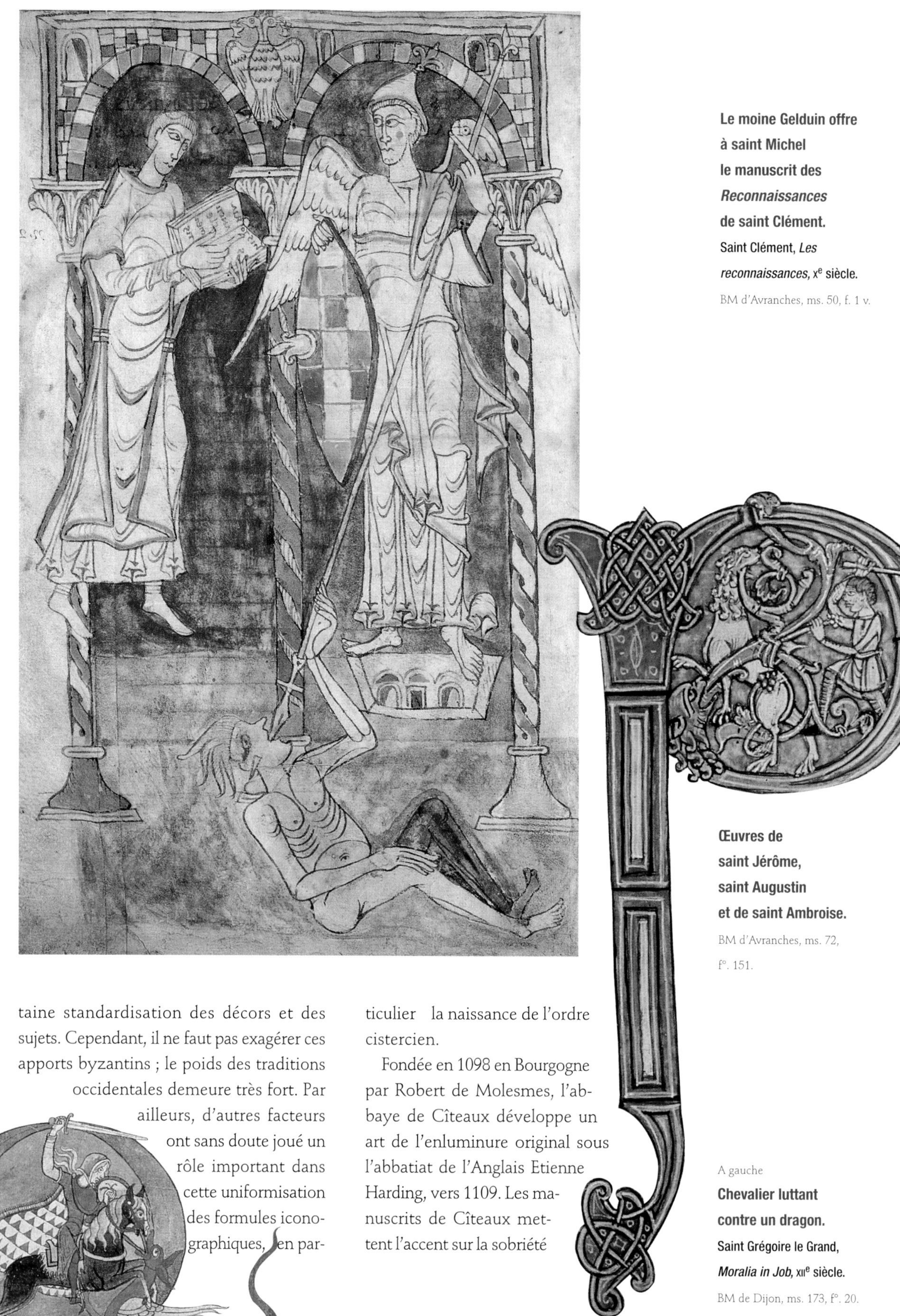

Le moine Gelduin offre à saint Michel le manuscrit des *Reconnaissances* de saint Clément.
Saint Clément, *Les reconnaissances*, Xe siècle.
BM d'Avranches, ms. 50, f. 1 v.

Œuvres de saint Jérôme, saint Augustin et de saint Ambroise.
BM d'Avranches, ms. 72, f°. 151.

A gauche
Chevalier luttant contre un dragon.
Saint Grégoire le Grand, *Moralia in Job*, XIIe siècle.
BM de Dijon, ms. 173, f°. 20.
Photo F. Perrodin.

taine standardisation des décors et des sujets. Cependant, il ne faut pas exagérer ces apports byzantins ; le poids des traditions occidentales demeure très fort. Par ailleurs, d'autres facteurs ont sans doute joué un rôle important dans cette uniformisation des formules iconographiques, en particulier la naissance de l'ordre cistercien.

Fondée en 1098 en Bourgogne par Robert de Molesmes, l'abbaye de Cîteaux développe un art de l'enluminure original sous l'abbatiat de l'Anglais Etienne Harding, vers 1109. Les manuscrits de Cîteaux mettent l'accent sur la sobriété

Daniel dans la fosse aux lions.
Bible d'Etienne Harding, XIIe siècle.
BM de Dijon, ms. 132, f°. 2 v°. Photo F. Perrodin.

Saint Grégoire le Grand, *Moralia in Job*, XIIe siècle.
BM de Dijon, ms. 170, f°. 6 v°. Photo F. Perrodin.

des décors qui se concentrent dans de très belles initiales historiées, légèrement colorées, mais dont la fantaisie d'imagination est remarquable comme dans les *Moralia in Job*, composées vers 1111 (Dijon, BM, ms. 168). L'art de l'enluminure cistercien se développe rapidement dans les autres grands *scriptoria* de Clairvaux et de Pontigny.

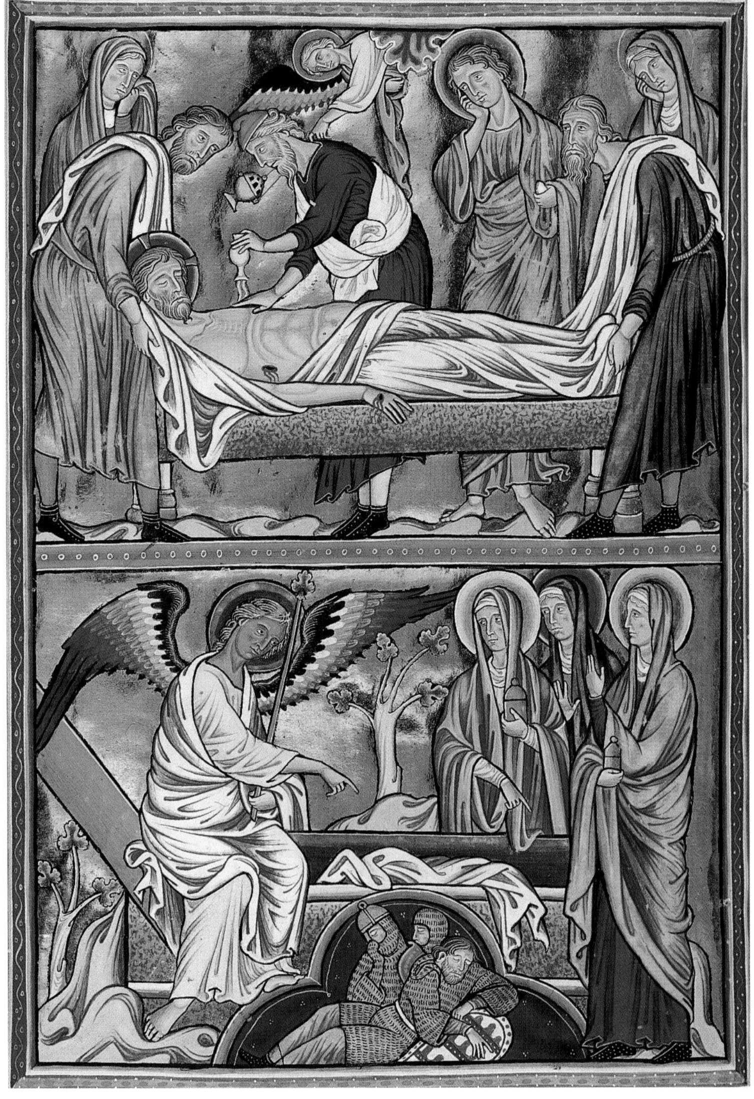

La Mise au Tombeau.
Psautier d'Ingeburge,
XIIIe siècle.
Musée Condé, Chantilly, ms. lat. 1965, f°. 28 v°.
Bridgeman-Giraudon.

L'enluminure gothique

La fin du XIIe siècle est marquée par de grandes évolutions dans la production du livre. Les monastères perdent le monopole de la copie des manuscrits et si certains *scriptoria* subsistent, l'essentiel de la copie et de la décoration des livres se déplace dans les villes en même temps que les écoles. La fabrication des manuscrits se fait désormais dans des ateliers laïques spécialisés qui répondent à des commandes toujours plus nombreuses. Cette transformation s'accompagne d'un changement des décors. Les initiales perdent de leur importance et se font plus stéréotypées, le plus souvent isolées sur un fond d'or, elles sont garnies d'arabesques, avec une alternance de bleus et de rouges. Les marges se peuplent d'un réseau de feuillages, de rameaux de feuilles de vigne stylisées, puis de feuilles d'acanthe à la fin du Moyen Age ; à l'intérieur apparaissent des éléments figurés, les armoiries des commanditaires ou leurs devises, des animaux et drôleries.

Le *Psautier d'Ingeburge* (Chantilly, musée Condé, ms. 1965) marque la transition entre l'enluminure romane et gothique. Il a été réalisé pour la reine Ingeburge, épouse de Philippe Auguste, répudiée en 1193, mais rentrée en grâce en 1213. Ce manuscrit luxueux où les scènes représentées se détachent sur un fond d'or date des dernières années du XIIe siècle ou bien de la première décennie du XIIIe siècle. Il a sans doute été peint par deux artistes attachés à la cour royale et témoigne de la suprématie de l'enluminure parisienne au début du XIIIe siècle. Un style neuf apparaît dans la capitale capétienne, marqué par l'élégance des personnages représentés, à la silhouette fine et longue, légèrement déhanchée. Le même art de cour, précieux et élégant, domine dans le *Psautier de Blanche de Castille* (Paris, Bibliothèque de l'Arsenal, ms. 1126) et le *Psautier de Saint Louis* (BNF, ms. lat. 10525), réalisé entre 1253 et 1270, qui ne compte pas moins de soixante-dix-huit scènes tirées de l'Ancien Testament. Elles prennent place sous de frêles architectures gothiques qui ne sont pas sans rappeler la Sainte-Chapelle, édifiée sur les ordres de Louis IX pour accueillir une relique insigne, la Couronne d'épines. Les personnages représentés adoptent l'attitude précieuse, parfois maniérée, développée par les enlumineurs parisiens au XIIIe siècle.

L'ânesse de Balaam.

Psautier de Saint Louis, xiiie siècle.

BnF, ms. lat. 10525, f°. 39 v°.

A gauche

David et Goliath.

Bréviaire de Philippe le Bel, **enluminure de Maître Honoré, XIVe siècle.**

BnF, ms. lat. 1023, f°. 7 v°.

La domination de l'enluminure parisienne se maintient à travers l'œuvre de Maître Honoré, l'un des premiers enlumineurs dont il est possible de retracer une partie de la carrière. Il est installé à Paris entre 1292 et 1300 et travaille pour la cour, en particulier pour le roi Philippe IV le Bel pour lequel il décore un Bréviaire (BNF, ms. lat. 1023) ainsi qu'un manuscrit de la *Somme le Roy* (Londres, BL, ms. add. 54180), un ouvrage de vulgarisation composé pour Philippe IV par son confesseur, le frère Laurent. La décoration de ces deux manuscrits inscrit Maître Honoré dans la tradition parisienne, mais il apporte des nouveautés, en particulier par ses efforts pour donner du volume à ses personnages et sa volonté d'échapper à un style trop linéaire.

L'apogée de l'enluminure parisienne est sans doute atteint grâce à la personnalité brillante de Jean Pucelle. Cet enlumineur, mort en 1334, est mentionné à Paris dès 1319 où il travaille pour la cour. Il réalise le *Bréviaire de Belleville* (BNF, ms. lat. 10483-10484) vers 1323-1326, les *Heures de Jeanne d'Evreux* (New York, Metropolitan Museum, The Cloisters Library, ms. 54) entre 1325 et 1328 et participe avec d'autres enlumineurs à l'illustration de la *Bible de Robert de Bylling* (BNF, ms. lat. 11935) en 1327. Il n'est pas exclu que Jean Pucelle ait, au cours d'un voyage en Italie, découvert les nouveautés picturales introduites par des

Ci-dessous

Saint Denis et ses compagnons quittent le tribunal de Sisinnius.

Vie et miracles de saint Denis, **XIVe siècle.**

BnF, ms. fr. 2092, f°. 37 v°.

Isabelle Stuart en prière devant la Vierge de Pitié.

Frère Laurent, Le *Livre des Vices et des Vertus,* xve siècle.

BnF, ms. fr. 958.

personnalités comme Giotto, de Florence, et Duccio, de Sienne. Ses enluminures sont en effet marquées par un sens très novateur de l'espace et de la perspective. Il connaît l'architecture toscane qu'il utilise comme décor pour ses enluminures. Cependant, il conserve la tradition élégante de l'enluminure parisienne et fait preuve d'une grande fantaisie dans les scènes satiriques ou fantaisistes qu'il déploie dans les marges.

Son disciple Jean Lenoir reprend son atelier et marque le XIVe siècle de sa longue carrière d'enlumineur de 1332 à 1375. Comme Pucelle, il reçoit des commandes des princesses de la cour de France, les *Heures de Jeanne de Navarre* (BNF, nouv. acq. lat., ms. 3145) et le *Psautier de Bonne de Luxembourg* (New York, Metropolitan Museum, Cloisters Museum, inv. 69-86) en 1349. Il travaille aussi pour le duc de Berry pour lequel il commence à décorer les *Petites Heures (*BNF, ms. lat. 18044). Restées inachevées à sa mort, elles comprennent huit scènes illustrant des épisodes de la Passion comme la Flagellation (f° 83 v°) ou la Déposition de Croix (f° 92 v°).

Parallèlement, on assiste à la naissance à Paris d'un courant naturaliste qui se manifeste dans les illustrations réalisées par l'enlumineur, demeuré anonyme, des œuvres du poète Guillaume de Machaut, comme le *Remède de Fortune* (BNF, ms. fr. 1586, f° 51 v°) vers 1350-1355. On y découvre les premières représentations de paysages dans l'enluminure française.

Les Valois sont de grands amateurs de beaux livres. Déjà, sous Jean le Bon, une équipe d'une quinzaine de peintres est réunie entre 1349 et 1352 pour enluminer la *Bible de Jean de Sy* (BNF, ms. fr. 15397), une bible moralisée destinée au roi. Ce mécénat prend toute son ampleur sous Charles V. L'apport des artistes venus des Flandres et l'influence de la peinture italienne se combinent en un style qualifié par les historiens de l'art médiéval de « gothique international ». Il trouve l'une de ses plus belles expressions dans les enluminures produites à Paris à la fin du XIVe siècle pour le roi de France et ses frères, notamment le fastueux Jean de Berry.

La Flagellation.
Petites Heures de Jean de Berry, enluminure de Jean Lenoir, XIVe siècle.
BnF, ms. lat. 18014, f°. 83 v°.

La carole.
Guillaume de Machaut, *Poèmes*, enluminure du Maître de Guillaume de Machaut, XIVe siècle.
BnF, ms. fr. 1586, f°. 51 v°.

Le temps des grands enlumineurs

Originaire de Valenciennes, André Beauneveu est engagé comme sculpteur par Charles V pour lequel il réalise, à partir de 1364, des gisants destinés à la nécropole capétienne de Saint-Denis. A la mort du roi en 1380, il entre au service du comte de Flandre, Louis de Mâle, puis du duc de Berry vers 1385 (jusqu'à sa mort en 1402). Cet artiste complet est également un enlumineur de talent, il réalise les illustrations du *Psautier du duc de Berry* (BNF, ms. lat. 13901) qui présentent en grisaille de grandes figures d'apôtres, trônant sur des sièges monu-

La Nativité.
Très Belles Heures de Jean de Berry,
XVe siècle.
BnF, ms. nouv. acqu. lat. 3093, f°. 42.

mentaux et rappellent ses qualités de sculpteur. Un autre enlumineur, originaire du Nord, Jacquemart de Hesdin, entre au service de Jean de Berry en 1384, il complète la peinture des *Petites Heures* laissées inachevées par Jean Lenoir et reçoit la commande d'un nouveau livre d'Heures, les *Grandes Heures* (BNF, ms. lat. 916).

Cependant, la renommée de ces deux enlumineurs est éclipsée par celles des frères de Limbourg, qui, à la mort de leur premier mécène le duc de Bourgogne Philippe le Hardi en 1404, entrent au service de Jean de Berry pour lequel ils réalisent le chef-d'œuvre le plus célèbre de l'enluminure médiévale, les *Très Riches Heures du duc de Berry*, restées inachevées à leur mort en 1416. Ce livre d'Heures, somptueusement décoré, doit surtout sa célébrité à la beauté de son calendrier où les frères de Limbourg innovent en introduisant dans le thème iconographique traditionnel des travaux des jours et des mois la représentation des châteaux qu'a fait élever leur patron. Le gothique international y atteint son apogée par la combinaison de motifs italianisants et l'emploi d'une perspective atmosphérique, chère aux artistes venus du Nord.

Cependant, si les frères de Limbourg ont quelque peu effacé leurs contemporains, d'autres enlumineurs jouissent à l'époque d'une grande renommée, en particulier le Maître de Boucicaut, sans doute un peintre flamand du nom de Jacques Coene, ins-

Saint Matthieu.
***Psautier de Jean de Berry*, enluminure d'André Beauneveu, XIVe siècle.**
BnF, ms. fr. 13091, f°. 24.

Le mois de février.
***Très Riches Heures du duc de Berry*, enluminure des Frères de Limbourg, XVe siècle.**
Musée Condé, Chantilly, ms. 65/1284, f°. 2 v°.

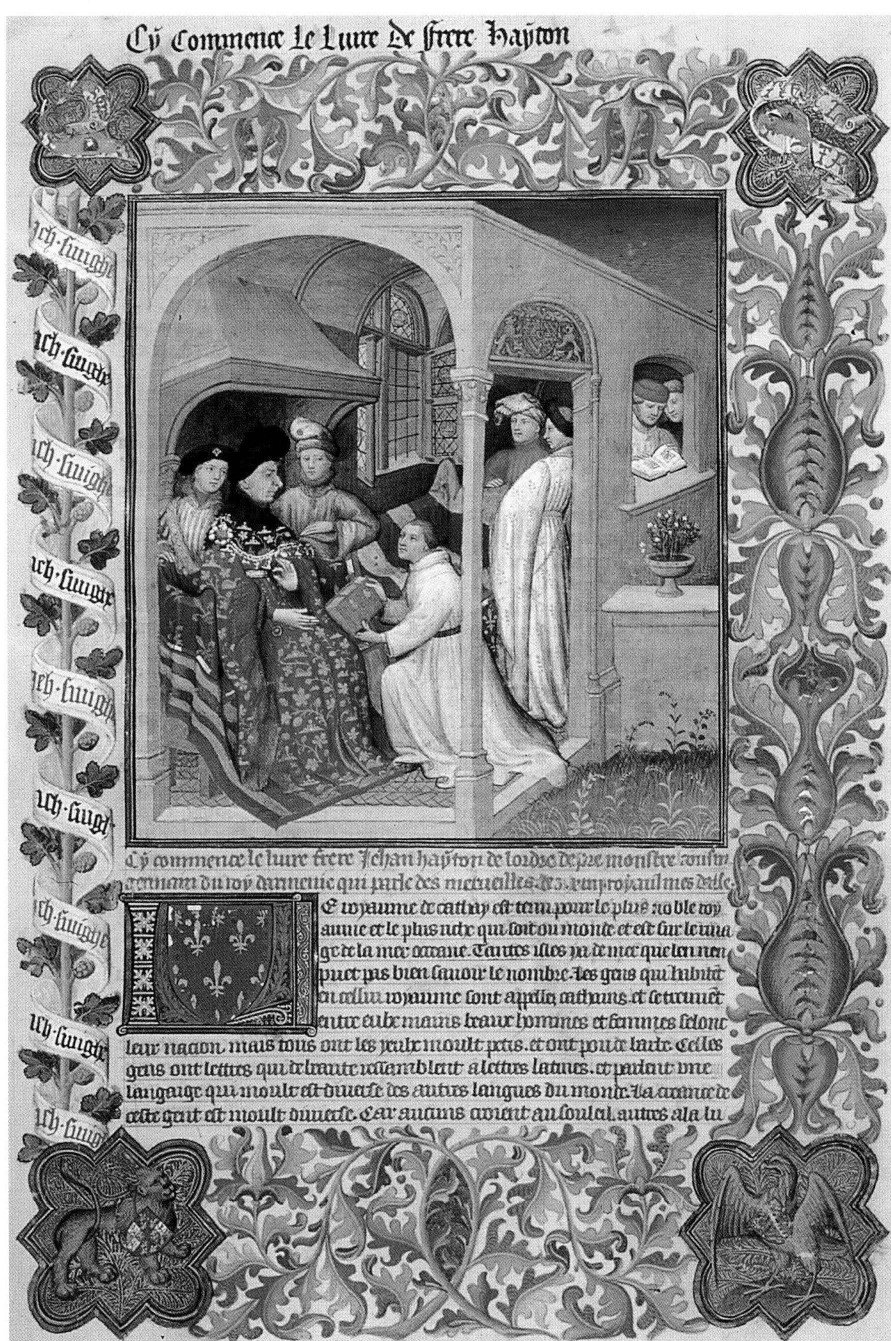

Hayton remet son livre au duc de Bourgogne Jean sans Peur. ***Le Livre des Merveilles,*** **enluminure du Maître de Boucicaut, XVe siècle.**

BnF, ms. fr. 2810, f°. 226.

tallé à Paris, qui doit son nom aux *Heures du maréchal de Boucicaut* (Paris, musée Jacquemart-André, ms. 2) dont il réalise le décor vers 1410-1415. Il travaille aussi pour le duc de Berry pour lequel il peint un *Livre des Merveilles* (BNF, ms. fr. 2810), tiré des récits de Marco Polo. Son atelier domine la production parisienne pendant le premier tiers du XVe siècle. Un autre maître lui partage les faveurs de l'aristocratie ; il est appelé par les historiens de l'art le Maître de Bedford car il reçoit ses commandes les

La Nativité.

Bréviaire de Jean, duc de Bedford,

enluminure du Maître de Bedford, XVe siècle.

BnF, ms. lat. 17294, f°. 56 v°.

plus importantes du régent de France, Jean de Bedford, qui gouverne Paris pour le roi d'Angleterre Henri VI à partir de 1422 (*Heures du duc de Bedford,* Londres, BL add. ms. 18550, *Bréviaire à l'usage de Salisbury,* BNF, ms. lat. 17294). Il illustre d'abord le *Livre de chasse de Gaston Phoebus* (BNF, ms. fr. 616), vers 1410-1415 et travaille jusqu'en 1430 pour une clientèle aristocratique nombreuse. Son style se nourrit de celui du Maître de Boucicaut mais il en diffère par des compositions plus denses et un goût extrême des détails.

Le dernier grand enlumineur du gothique international est aussi un artiste anonyme, appelé le Maître de Rohan, en raison de son œuvre principale, un livre d'Heures conservé par la famille bretonne de Rohan au XVe siècle, mais qui a sans doute été réalisé sur une commande de Yolande d'Aragon, comtesse d'Anjou. D'origine champenoise, il s'installe à Paris entre 1415 et 1422, puis se met au service des comtes d'Anjou. Son style violent, « expressionniste » et puissant en fait un artiste hors normes.

L'occupation de la capitale capétienne par les Anglais et les troubles de la guerre de Cent Ans provoquent la dispersion des ateliers parisiens. Paris perd son rôle de capitale de l'enluminure. Les enlumineurs y réapparaissent vers 1440 avec des artistes comme le Maître de Jean Rolin qui y œuvre entre 1445 et 1465 et doit son nom à ce prestigieux mécène qu'est le cardinal Jean Rolin

La chasse à l'ours. Gaston Phoebus, *Livre de chasse,* enluminure du Maître de Bedford, XVe siècle.

BnF, ms. fr. 616, f°. 93.

Boèce,
De Consolatione Philosophiae.
Enluminure du Maître de Coetivy, xve siècle.
BnF, ms. lat. 1098, f°. 40 v°.

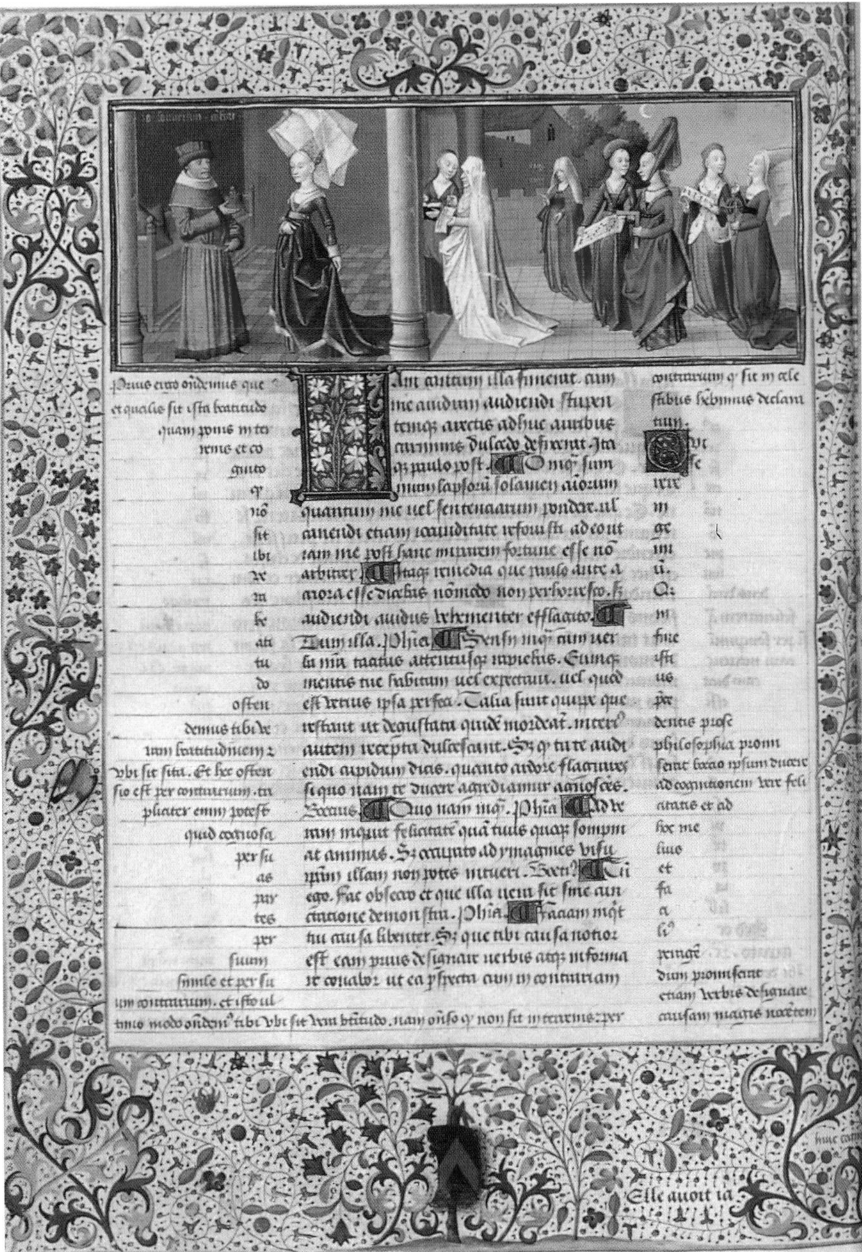

dont il reçoit de nombreuses commandes, le Maître François vers 1473 et le Maître de Coëtivy entre 1450 et 1485, un artiste qui travaille pour la cour de France comme enlumineur mais aussi comme dessinateur de cartons pour les vitraux et les tapisseries. Paris n'est plus dans la seconde moitié du XVe siècle l'unique centre de l'enluminure en France. Les ateliers des villes du nord du royaume comme Amiens, Arras, Hesdin, Lille ou Valenciennes peuvent rivaliser avec la capitale, sans parler des grands centres d'enluminure que sont Bruges et Gand grâce au mécénat des ducs de Bourgogne et à la présence d'une riche clientèle internationale.

Jean Fouquet est sans conteste le plus grand peintre français de la seconde moitié du XVe siècle. Grâce à un séjour à Rome vers 1446 où il a sans doute rencontré Fra Angelico et une étape à Florence où il a pu découvrir la sculpture de Donatello, il acquiert une maîtrise parfaite de la perspective et de la représentation humaine. Né vers 1420, il s'installe à Tours où il meurt entre 1478 et 1481. Il crée un style original et poétique, une synthèse française des influences italiennes et flamandes, qui en fait un artiste incomparable. Cette maîtrise de l'art de l'enluminure se décline dans de

La bataille de Roncevaux. ***Grandes Chroniques de France,*** **enluminure de Simon Marmion, XVe siècle.** Bibliothèque nationale, Saint-Pétersbourg, Erm. 88, f°. 154 v°.

La mort couronnée. ***Heures de René d'Anjou,*** **enluminure de Barthélemy d'Eyck, XVe siècle.** The British Library, ms. Eder. 1070, f. 56.

Simon Marmion est l'un des peintres et enlumineurs les plus réputés de son temps. Né à Amiens vers 1425, il demeure dans sa ville jusqu'en 1451, puis s'installe à Valenciennes de 1458 à sa mort en 1489. Il enlumine les *Grandes Chroniques de France* (Saint-Pétersbourg, Bibliothèque nationale, Erm. 88) à la demande de Guillaume Fillastre, évêque de Toul et abbé de Saint-Bertin à Saint-Omer, pour le duc de Bourgogne Philippe le Bon entre 1451 et 1460. Ce superbe manuscrit comprend vingt-cinq grandes enluminures qui constituent de véritables tableaux.

A la fin de l'âge gothique, l'enluminure a perdu son rôle prépondérant parmi les arts de la couleur au profit de la peinture de tableaux. Les enlumineurs ne donnent plus le ton, mais cherchent à rivaliser avec les peintres. Les deux professions se confondent et des artistes comme Simon Marmion et Jean Fouquet exercent les deux activités simultanément.

Statuts de l'ordre de Saint-Michel.
Enluminure de Jean Fouquet, xve siècle.
BnF, ms. fr. 19819, f°. 1.

Le roi David en prières.
Heures d'Etienne Chevalier,
enluminure de Jean Fouquet, xve siècle.
The British Library, ms. add. 37421.

nombreux chefs-d'œuvre comme les *Grandes Chroniques de France* (BNF, ms. fr. 6565) vers 1456, les *Heures d'Etienne Chevalier* (Chantilly, musée Condé, ms. lat. rés. Gr. 201) vers 1452, les *Antiquités judaïques* (BNF, ms. fr. 247) où encore l'*Histoire ancienne jusqu'à César* dont quelques feuillets sont conservés au musée du Louvre.

Le seul artiste qui puisse rivaliser avec Jean Fouquet est un Flamand installé à Aix-en-Provence. Peintre en titre du bon roi René de 1447 à 1470, Barthélemy d'Eyck a sans doute réalisé les splendides illustrations du manuscrit du *Cœur d'amour épris*

A droite
Saint Martin.
Heures de Louis de Laval,
enluminure de Jean Colombe, xve siècle.
BnF, ms. lat. 920, f°. 300 v°.

A gauche

La Nativité.

***Grandes Heures d'Anne de Bretagne*, enluminure de Jean Bourdichon, XVe siècle.**

BnF, ms. lat. 9474, f°. 51 v°.

A droite

Charles Ier de Savoie et sa femme Blanche de Montferrat.

***Très Riches Heures du duc de Berry*, enluminure de Jean Colombe, XVe siècle.**

Musée Condé, Chantilly, ms. 65/1284, f°. 75 r°. Bridgeman-Giraudon.

(Vienne, BN., Cod. 2597), un roman allégorique composé par le roi lui-même. L'art du gothique finissant y atteint sa perfection.

Les trois derniers grands enlumineurs français sont avant tout des peintres de talent qui n'hésitent pas à décorer les manuscrits de leurs puissants mécènes. Ils travaillent tous les trois pour la cour royale. Jean Bourdichon (v. 1457-1521) est le peintre en titre de Louis XI, de Charles VIII, de Louis XII et de François Ier. Il entretient des liens privilégiés avec la reine Anne de Bretagne pour laquelle il réalise vers 1503-1508 son chef-d'œuvre, les *Grandes Heures d'Anne de Bretagne* (BNF, ms. lat. 9474).

Jean Colombe, installé à Bourges, est le frère du sculpteur Michel Colombe et travaille également pour la cour de France. Vers 1467-1493, il reçoit la commande d'un puissant seigneur, Louis de Laval, dont il enlumine de nombreuses compositions en pleine page pour ses *Heures* (BNF, ms. lat. 920).

Le dernier de ces grands enlumineurs est installé à Lyon. Jean Perréal, peintre de Charles VIII à partir de 1496, de Louis XII, puis de François Ier jusqu'à sa mort en 1530, il témoigne des apports de la Renaissance italienne dans ses œuvres enluminées.

Présentation d'un livre au roi Louis XII, XVIe siècle.

BnF, ms. fr. 53, f°. 9.

Page de droite

Saint Jean évangéliste.

Heures à l'usage de Rome, enluminure de Barthélemy d'Eyck, XVe siècle.

The Pierpont Morgan Library/Art Resource, New York, ms. 358, f°. 13.

Initiu sci euagelij
secundu iohanne.
In principio erat uer
bum et uerbum erat

Scorpionis.
sagittarij.
mensis.
nouembris.
Lune.
dies.
Gradus.

CONCLUSION

La diversité des images, leur richesse et leur fantaisie qu'un lecteur contemporain découvre en parcourant les manuscrits du Moyen Age, ce monde de couleurs inaltérées, toujours aussi chatoyantes que ni le temps ni l'usure n'ont pu ternir, sont autant d'éléments qui permettent d'expliquer la fascination qu'exercent encore sur nous les livres du Moyen Age.

La distance qui nous sépare de leur création, leur conservation miraculeuse en font des objets presque sacrés que les bibliothèques ou les collectionneurs privés conservent jalousement. De temps en temps, de trop rares expositions dévoilent à un public ébloui la richesse de ce patrimoine. Leur succès, le prix astronomique atteint par les manuscrits les plus modestes au cours des dernières ventes publiques suffisent à témoigner du maintien de cet engouement pour les manuscrits du Moyen Age. Ils ont marqué de manière indélébile notre vision de cette période. De l'élégance et de la fantaisie des *Très Riches Heures du duc de Berry* à l'imaginaire dans lequel nous introduisent les Apocalypses mozarabes et les Bibles romanes, tous les manuscrits nous introduisent dans un monde de rêve comme ils l'avaient fait voici des siècles auprès de leurs premiers lecteurs.

Le mois de novembre.
Très Riches Heures du duc de Berry, **enluminure de Jean Colombe, xve siècle.**
Musée Condé, Chantilly, ms. 65/1284, f°. 11.
Bridgeman-Giraudon.

Bible de Souvigny, **xiie siècle.**
Médiathèque de Moulins, ms. 21, f°. 196 v°.
CRDP d'Auvergne.

GLOSSAIRE

Antiphonaire : livre liturgique, recueil de chants : les antiennes.
Babouinerie : scène marginale représentant des singes dans des postures satiriques.
Basane : parchemin le plus courant à base de peau de mouton.
Beresty : écorce de bouleau utilisée comme support d'écriture en Russie.
Bréviaire : recueil de prières.
Codex : livre de format rectangulaire.
Colophon : petite note en fin de manuscrit qui indique les conditions dans lesquelles le livre a été copié, avec parfois le nom du scribe.
Evangéliaire : livre liturgique contenant des extraits des Evangiles disposés selon les offices.
Graduel : manuscrit contenant le chant placé dans la messe entre l'épître et la lecture de l'Evangile.
Heures : voir Livre d'Heures.
Lai : genre poétique narratif ou lyrique.
Lectionnaire : recueil de textes tirés des Ecritures lus à l'office.
Livre d'Heures : manuscrit de dévotion permettant aux laïques de réciter des prières aux différentes heures canoniales de la journée.
Martyrologe : manuscrit liturgique contenant la liste des martyrs et des saints mentionnés à l'office.
Miroir : ouvrage de vulgarisation destiné aux laïcs.
Palimpseste : parchemin réutilisé comportant plusieurs écritures superposées.
Psautier : recueil de psaumes.
Rubrique : initiale écrite à l'encre rouge.
Sacramentaire : manuscrit liturgique contenant les prières de la messe et celles récitées à l'occasion des sacrements.
Scriptorium : atelier de copie et d'enluminure de manuscrits.
Stationnaire : libraire et éditeur de manuscrits.
Tropaire prosier : recueil de tropes, chants liturgiques.

BIBLIOGRAPHIE

Alexander, Jonathan J.C., *Medieval Illuminators and their Methods of Work,* Yale University Press, New Haven Londres, 1992.
Avril François, Reynaud Nicole, *Les Manuscrits à peintures en France. 1440-1520,* Paris, 1993.
Avril François, *L'Enluminure à l'époque gothique,* Paris, 1995.
Blum A., Lauer Ph., *La Miniature française aux XVe et XVIe siècles,* Bruxelles, 1930.
Bozzolo, C., *Pour une histoire du livre manuscrit au Moyen Age. Trois essais de codicologie quantitative,* Paris, 1980.
Camille, Michael, *Images dans les marges*, Paris, 1997.
Châtelet, Albert, *L'Age d'or du manuscrit à peintures en France au temps de Charles VI et les Heures du maréchal de Boucicaut,* Paris, 2000.
Dalarun, Jacques, (éd.), *Le Moyen Age en lumière*, Paris, 2002.
De Hamel, Christopher, *Une histoire des manuscrits enluminés*, Paris, 2001.
Dosdat, Monique et Girard, Alain R., *Livres d'Heures de Basse-Normandie,* Caen, 1985.
Glénisson, Jean (éd.), *Le Livre au Moyen Age*, Presses du CNRS, Paris, 1988.
Harthan, Jean-Paul, *L'Age d'or des livres d'Heures*, Bruxelles, 1971.
Leroquais, Victor, *Les Livres d'Heures manuscrits de la Bibliothèque nationale,* Paris, 1927.
Martin, Henri-Jean et Vezin, Jean (éd.), *Mise en page et mise en texte du livre manuscrit,* Paris, 1990.
Porcher, Jean, *L'Enluminure française,* Paris, 1959.
Randall, L.M.C., « Images of the Margins of Gothic Manuscripts », *Art Bulletin,* n° 39, 1957, p. 27-107.
Smeyers, Maurice, *La Miniature, Typologie des sources du Moyen Age occidental,* Brepols Turnhout, 1974.

TABLE DES MATIÈRES

Éditeur : Christian Ryo
Coordination éditoriale : Isabelle Rousseau
Conception graphique et mise en page :
studio graphique des Éditions Ouest-France
Cartographie : Patrick Mérienne
Photogravure : Nord Compo, Villeneuve d'Ascq (59)
Impression : Pollina à Luçon (85) - n° L91641

Édilarge SA, Rennes
ISBN 2 7373 3018.1
Dépôt légal : Août 2003
N° d'éditeur : 4376.03.03.01.04
Imprimé en France